#교과서×사고력
#게임하듯공부해
#스티커게임?리얼공부!

Go! 매쓰
초등 수학

저자 김보미

- 네이버 대표카페 '성공하는 공부방 운영하기' 운영자
- '미래엔', '메가스터디', '천재교육' 교재 기획 및 집필
- 전국 1,000개 이상의 공부방/선생님 컨설팅 및 교육
- 현재 《GO! 매쓰》 수학 공부방 운영

**Chunjae
Makes
Chunjae**

▼

기획총괄	김안나
편집개발	이근우, 서진호, 한인숙, 최수정, 김혜민
디자인총괄	김희정
표지디자인	윤순미
내지디자인	박희춘, 이혜미
제작	황성진, 조규영

발행일	2021년 1월 15일 2판 2024년 12월 15일 2쇄
발행인	(주)천재교육
주소	서울시 금천구 가산로9길 54
신고번호	제2001-000018호
고객센터	1577-0902
교재 구입 문의	1522-5566

교과서 GO! 사고력 GO!

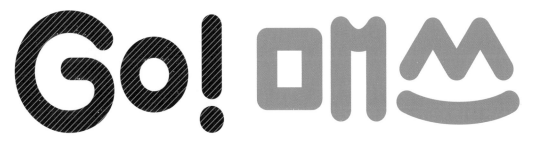

Run-C

교과서 사고력

수학 6-1

구성과 특징

1 주차 교과 집중 학습

1 교과서 개념 완성

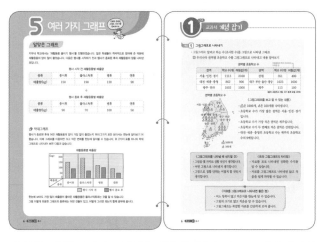

재미있는 수학 이야기로 단원에 대한 흥미를 높이고, 교과서 개념과 기본 문제를 학습합니다.

2 교과서 개념 PLAY

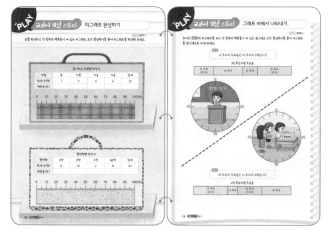

게임으로 개념을 학습하면서 집중력을 높여 쉽게 개념을 익히고 기본을 탄탄하게 만듭니다.

3 문제 풀이로 실력 & 자신감 UP!

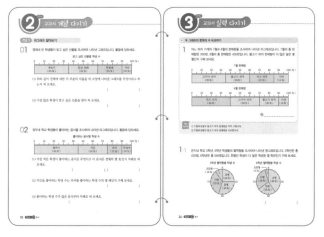

한 단계 더 나아간 교과서와 익힘 문제로 개념을 완성하고, 다양한 문제 유형으로 응용력을 키웁니다.

4 서술형 문제 풀이

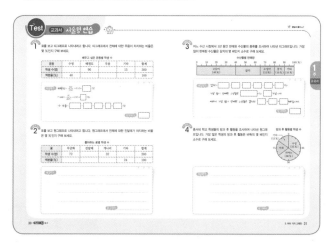

시험에 잘 나오는 서술형 문제 중심으로 단계별로 풀이하는 연습을 하여 서술하는 힘을 높여 줍니다.

2^{주차} 사고력 확장 학습

1 사고력 PLAY

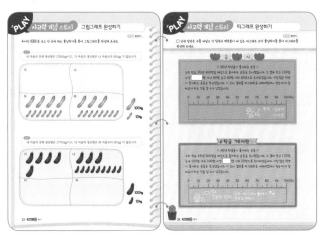

교과 심화 문제와 사고력 문제를 게임으로 쉽게 접근하여 어려운 문제에 대한 거부감을 낮추고 집중력을 높입니다.

2 교과 사고력 잡기

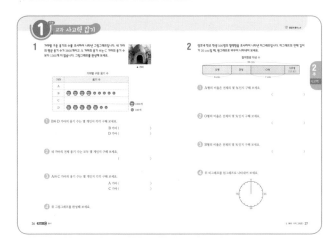

문제에 필요한 요소를 찾아 단계별로 해결하면서 문제 해결력을 키울 수 있는 힘을 기릅니다.

3 교과 사고력 확장+완성

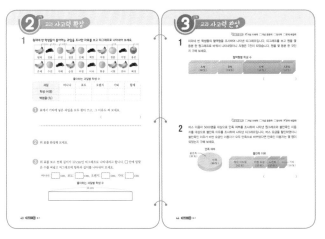

교과 학습과 사고력 학습을 얼마나 잘 이해하였는지 평가하여 배운 내용을 정리합니다.

4 종합평가 / 특강

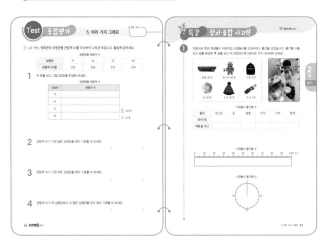

교과 학습과 사고력 학습을 얼마나 잘 이해하였는지 평가하여 배운 내용을 정리합니다.

5 여러 가지 그래프

단원과 관련된 그래프 이야기를 살펴보아요.

알맞은 그래프

지우네 학교에서는 '재활용품 줄이기 행사'를 진행하였습니다. 많은 학생들이 적극적으로 참여해 준 덕분에 재활용품의 양이 많이 줄었습니다. 다음은 행사를 시작하기 전과 행사가 종료된 후의 재활용품의 양을 나타낸 표입니다.

행사 시작 전 재활용품별 배출량

종류	종이류	플라스틱류	병류	캔류
배출량(kg)	150	190	120	90

행사 종료 후 재활용품별 배출량

종류	종이류	플라스틱류	병류	캔류
배출량(kg)	90	70	100	50

☆ 막대그래프

행사가 종료된 후에 어떤 재활용품의 양이 가장 많이 줄었는지 위의 2가지 표만 보아서는 한눈에 알아보기 어렵습니다. 이때 그래프를 이용하면 크고 작은 변화를 한눈에 알아볼 수 있습니다. 위 2가지 표를 하나의 막대그래프로 나타내어 보면 다음과 같습니다.

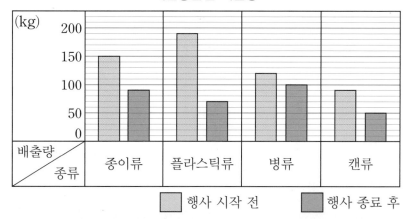

한눈에 보아도 가장 많이 배출량이 줄어든 재활용품은 플라스틱류라는 것을 알 수 있습니다.
그럼 이렇게 유용한 그래프의 종류에는 어떤 것들이 있고, 어떻게 그리면 되는지 함께 공부해 봅시다.

승기네 학교 학생들이 좋아하는 동물에 각자 붙임딱지를 한 장씩 붙인 것입니다. 그림을 보고 자료를 정리하여 보세요.

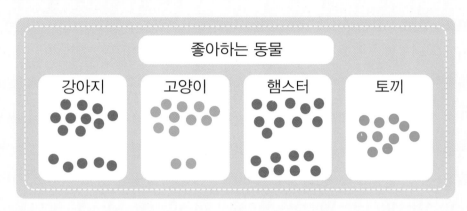

① 위 그림을 보고 표를 완성해 보세요.

좋아하는 동물별 학생 수

동물	강아지	고양이	햄스터	토끼	합계
학생 수(명)					

② ①의 표를 보고 막대그래프로 나타내어 보세요.

③ ②의 막대그래프를 보고 가장 많은 학생이 좋아하는 동물을 찾아 써 보세요.

(   )

개념 1 그림그래프로 나타내기

- 그림그래프: 알려고 하는 수(조사한 수)를 그림으로 나타낸 그래프

예 우리나라 권역별 초등학교 수를 그림그래프로 나타내고 내용 알아보기

권역별 초등학교 수

반올림하여 백의 자리까지 나타낸 값

권역	학교 수(개)	어림값(개)	권역	학교 수(개)	어림값(개)
서울·인천·경기	2113	2100	강원	351	400
대전·세종·충청	862	900	대구·부산·울산·경상	1623	1600
광주·전라	1002	1000	제주	113	100

(출처: 초등학교 개황, 국가 통계 포털, 2018.)

권역별 초등학교 수

🚩1000개
🏴100개

〈그림그래프를 보고 알 수 있는 내용〉

- 🚩은 1000개, 🏴은 100개를 나타냅니다.
- 초등학교 수가 가장 많은 권역은 서울·인천·경기입니다.
- 초등학교 수가 가장 적은 권역은 제주입니다.
- 초등학교 수가 두 번째로 적은 권역은 강원입니다.
- 대전·세종·충청의 초등학교 수는 제주의 초등학교 수의 9배입니다.

〈그림그래프를 나타낼 때 생각할 것〉

- 그림을 몇 가지로 정할 것인지 생각합니다.
- 어떤 그림으로 나타낼지 생각합니다.
- 그림으로 정할 단위는 어떻게 할 것인지 생각합니다.

〈표와 그림그래프의 차이점〉

- 자료를 표로 나타내면 정확한 수치를 알 수 있습니다.
- 자료를 그림그래프로 나타내면 많고 적음을 쉽게 파악할 수 있습니다.

〈자료를 그림그래프로 나타내면 좋은 점〉

- 어느 항목이 많고 적은지를 한눈에 알 수 있습니다.
- 그림의 크기로 많고 적음을 알 수 있습니다.
- 그림그래프는 복잡한 자료를 간단하게 보여 줍니다.

개념 확인 문제

1 어느 지역의 과수원별 사과 생산량을 조사하여 나타낸 표와 그림그래프입니다. 물음에 답하세요.

과수원별 사과 생산량

과수원	가	나	다	라
생산량(t)	230		420	

과수원별 사과 생산량

(1) 그림그래프를 보고 표의 빈칸에 알맞은 수를 써넣으세요.

(2) ☐ 안에 알맞은 수를 써넣으세요.

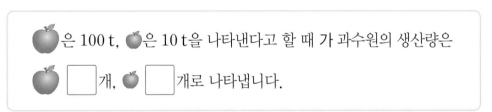

(3) 표를 보고 그림그래프를 완성해 보세요.

(4) 생산량이 많은 과수원부터 차례로 기호를 써 보세요.

( )

개념 2 띠그래프 그리고 해석하기

• 띠그래프: 전체에 대한 각 부분의 비율을 띠 모양에 나타낸 그래프

예 좋아하는 과목별 학생 수를 띠그래프로 나타내고 내용 알아보기

좋아하는 과목별 학생 수 → 다른 것에 비해서 자료의 수가 적을 때 사용합니다.

과목	국어	과학	수학	기타	합계
학생 수(명)	10	7	6	2	25

① 자료를 보고 각 항목의 백분율을 구합니다.

국어: $\dfrac{10}{25} \times 100 = 40$ (%), 과학: $\dfrac{7}{25} \times 100 = 28$ (%),

수학: $\dfrac{6}{25} \times 100 = 24$ (%), 기타: $\dfrac{2}{25} \times 100 = 8$ (%)

② 각 항목의 백분율의 합계가 100 %가 되는지 확인합니다.

(국어)+(과학)+(수학)+(기타)=40+28+24+8=100 (%)

③ 각 항목이 차지하는 백분율의 크기만큼 선을 그어 띠를 나눕니다.

④ 나눈 부분에 각 항목의 내용과 백분율을 씁니다.

⑤ 띠그래프의 제목을 씁니다.

좋아하는 과목별 학생 수 ← ⑤ 그래프 제목 쓰기

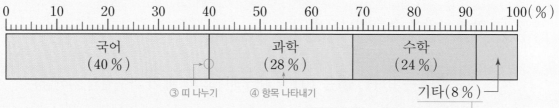

③ 띠 나누기   ④ 항목 나타내기   기타(8 %)

참고 띠그래프 안에 항목의 내용과 백분율을 함께 적는 것이 어려울 때에는 화살표를 사용하여 그래프 밖에 쓸 수 있도록 합니다.

〈띠그래프를 보고 알 수 있는 내용〉

• 국어를 좋아하는 학생이 가장 많습니다.

• 수학의 백분율은 기타의 백분율의 3배입니다.

• 기타를 제외하면 수학의 백분율이 가장 적습니다.

➡ 각 항목끼리의 백분율을 쉽게 비교할 수 있습니다.

〈띠그래프의 특징〉

• 띠그래프에 표시된 눈금은 백분율을 나타냅니다.

• 띠그래프의 작은 눈금 한 칸은 1 %를 나타냅니다.

개념 확인 문제

2 학급 도서관에 있는 책의 종류를 조사하여 나타낸 표입니다. 물음에 답하세요.

책의 종류별 권수

종류	위인전	동화책	과학책	시집	합계
권수(권)	20	15	10	5	50

(1) 전체 권수에 대한 책의 종류별 권수의 백분율을 구해 보세요.

- 위인전: $\dfrac{20}{50} \times 100 =$ ☐ (%)   ・동화책: $\dfrac{15}{50} \times 100 =$ ☐ (%)

- 과학책: $\dfrac{10}{50} \times 100 =$ ☐ (%)   ・시집: $\dfrac{5}{50} \times 100 =$ ☐ (%)

(2) 각 항목의 백분율을 모두 더하면 얼마인지 ☐ 안에 알맞은 수를 써넣으세요.

☐ + ☐ + ☐ + ☐ = ☐ (%)

(3) (1)에서 구한 백분율을 이용하여 띠그래프를 완성해 보세요.

책의 종류별 권수

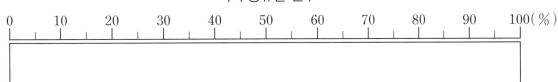

(4) 학급 도서관에 가장 많이 있는 책을 찾아 써 보세요.

(   )

(5) 학급 도서관에 가장 적게 있는 책을 찾아 써 보세요.

(   )

개념 3 원그래프 그리고 해석하기

• 원그래프: 전체에 대한 각 부분의 비율을 원 모양에 나타낸 그래프

예 좋아하는 계절별 학생 수를 원그래프로 나타내고 내용 알아보기

좋아하는 계절별 학생 수

계절	봄	여름	가을	겨울	합계
학생 수(명)	12	6	3	9	30

① 자료를 보고 각 항목의 백분율을 구합니다.

봄: $\dfrac{12}{30} \times 100 = 40\,(\%)$, 여름: $\dfrac{6}{30} \times 100 = 20\,(\%)$,

가을: $\dfrac{3}{30} \times 100 = 10\,(\%)$, 겨울: $\dfrac{9}{30} \times 100 = 30\,(\%)$

② 각 항목의 백분율의 합계가 100 %가 되는지 확인합니다.

(봄)+(여름)+(가을)+(겨울)=40+20+10+30=100 (%)

③ 각 항목이 차지하는 백분율의 크기만큼 선을 그어 원을 나눕니다.

④ 나눈 부분에 각 항목의 내용과 백분율을 씁니다.

⑤ 원그래프의 제목을 씁니다.

좋아하는 계절별 학생 수 ← ⑤ 그래프 제목 쓰기　〈원그래프를 보고 알 수 있는 내용〉

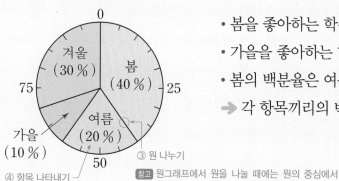

③ 원 나누기
④ 항목 나타내기
참고 원그래프에서 원을 나눌 때에는 원의 중심에서 원주 위에 표시된 눈금까지 선분을 긋습니다.

• 봄을 좋아하는 학생이 가장 많습니다.
• 가을을 좋아하는 학생이 가장 적습니다.
• 봄의 백분율은 여름의 백분율의 2배입니다.
➡ 각 항목끼리의 백분율을 쉽게 비교할 수 있습니다.

〈원그래프와 띠그래프의 공통점〉

• 둘 다 비율그래프입니다.
• 전체를 100 %로 하여 전체에 대한 각 부분의 비율을 알기 편합니다.

〈원그래프와 띠그래프의 차이점〉

• 띠그래프는 가로를 100등분 하여 띠 모양으로 그린 것입니다.
• 원그래프는 원의 중심을 100등분 하여 원 모양으로 그린 것입니다.

개념 확인 문제

3 영주네 학교 학생들이 현장체험을 가고 싶은 장소를 조사하여 나타낸 표입니다. 물음에 답하세요.

가고 싶은 장소별 학생 수

장소	놀이공원	박물관	경복궁	동물원	합계
학생 수(명)	160	100	80	60	400

(1) 전체 학생 수에 대한 가고 싶은 장소별 학생 수의 백분율을 구해 보세요.

- 놀이공원: $\dfrac{160}{400} \times 100 = $ ☐ (%)
- 박물관: $\dfrac{100}{400} \times 100 = $ ☐ (%)
- 경복궁: $\dfrac{80}{400} \times 100 = $ ☐ (%)
- 동물원: $\dfrac{60}{400} \times 100 = $ ☐ (%)

(2) 각 항목의 백분율을 모두 더하면 얼마인지 ☐ 안에 알맞은 수를 써넣으세요.

☐ + ☐ + ☐ + ☐ = ☐ (%)

(3) (1)에서 구한 백분율을 이용하여 원그래프를 완성해 보세요.

가고 싶은 장소별 학생 수

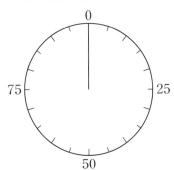

(4) 가장 많은 학생이 가고 싶은 장소를 찾아 써 보세요.

(   )

(5) 가장 적은 학생이 가고 싶은 장소를 찾아 써 보세요.

(   )

개념 4 여러 가지 그래프 비교해 보기

그림그래프

◀ 출처 ⓒPixMarket, shutterstock

- 알려고 하는 수(조사한 수)를 그림으로 나타낸 그래프입니다.
- 그림의 크기와 수로 수량의 많고 적음을 쉽게 알 수 있습니다.
- 자료에 따라 상징적인 그림을 사용할 수 있어서 재미있게 나타낼 수 있습니다.

막대그래프

- 조사한 자료를 막대 모양으로 나타낸 그래프입니다.
- 자료의 크기를 한눈에 쉽게 비교할 수 있습니다.

꺾은선그래프

- 수량을 점으로 표시하고, 그 점들을 선분으로 이어 그린 그래프입니다.
- 자료의 변화하는 정도를 알아보기 쉽습니다.
- 조사하지 않은 자료의 값을 예상할 수 있습니다.

띠그래프 ,   **원그래프**

- 전체에 대한 각 부분의 비율을 띠 모양 또는 원 모양에 나타낸 그래프입니다.
- 전체에 대한 각 부분의 비율을 한눈에 알아보기 쉽습니다.
- 각 항목끼리의 비율을 쉽게 비교할 수 있습니다.

〈자료를 그래프로 나타낼 때 알맞은 그래프〉
- 항목의 크기를 비교할 때 ➡ 그림그래프, 막대그래프
- 시간에 따른 항목의 크기 변화를 알아볼 때 ➡ 꺾은선그래프
- 항목의 비율을 비교할 때 ➡ 띠그래프, 원그래프

예

자료	그래프
우리 반 친구들이 좋아하는 과목	그림그래프, 막대그래프, 띠그래프, 원그래프
내 몸무게의 월별 변화	꺾은선그래프
권역별 인구 수	그림그래프, 막대그래프, 띠그래프, 원그래프

개념 확인 문제

4 어느 지역의 과수원별 귤 생산량을 조사하여 나타낸 표입니다. 물음에 답하세요.

과수원별 귤 생산량

과수원	가	나	다	라	합계
생산량(t)	120	60	80	140	400

(1) 위 표를 보고 그림그래프로 나타내어 보세요.

과수원별 귤 생산량

🍊 100 t　🍊 10 t

(2) 위 표를 보고 막대그래프로 나타내어 보세요.

과수원별 귤 생산량

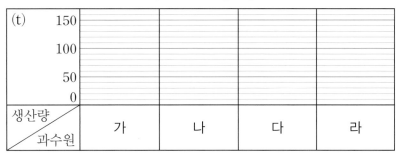

(3) 위 표를 보고 띠그래프로 나타내어 보세요.

과수원별 귤 생산량

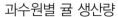

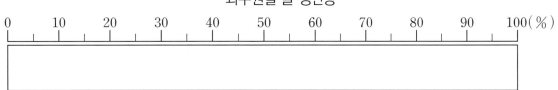

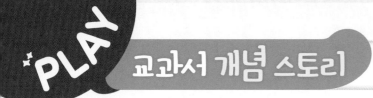
준비물 붙임딱지

표를 완성하고 각 항목과 백분율이 써 있는 띠그래프 조각 붙임딱지를 붙여 띠그래프를 완성해 보세요.

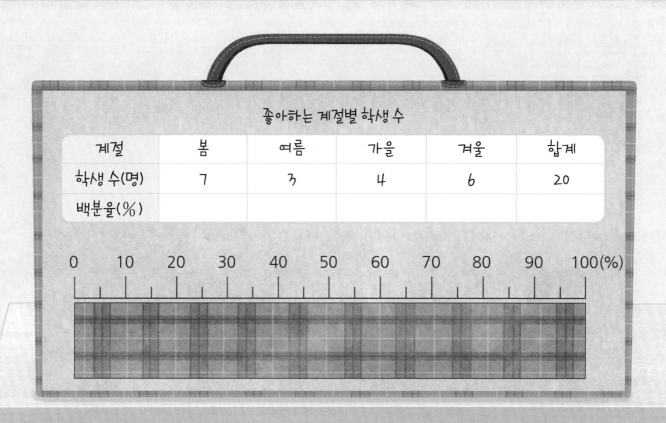

좋아하는 계절별 학생 수

계절	봄	여름	가을	겨울	합계
학생 수(명)	7	3	4	6	20
백분율(%)					

혈액형별 학생 수

혈액형	A형	B형	O형	AB형	합계
학생 수(명)	10	14	6	10	40
백분율(%)					

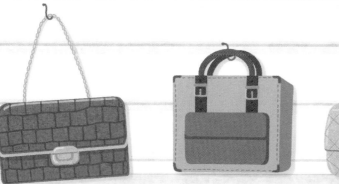

좋아하는 간식별 학생 수

간식	치킨	피자	떡	김밥	합계
학생 수(명)	21	18	12	9	60
백분율(%)					

```
0    10   20   30   40   50   60   70   80   90   100(%)
```

받고 싶은 선물별 학생 수

선물	게임기	휴대 전화	인형	책	합계
학생 수(명)	32	20	16	12	80
백분율(%)					

```
0    10   20   30   40   50   60   70   80   90   100(%)
```

준비물 ◀ 붙임딱지

주어진 (조건)과 띠그래프를 보고 각 항목과 백분율이 써 있는 원그래프 조각 붙임딱지를 붙여 띠그래프를 원그래프로 바꿔 보세요.

조건
나 후보의 득표율은 다 후보의 2배입니다.

1반 후보자별 득표율

가 후보 (20 %)	나 후보	다 후보	라 후보 (35 %)

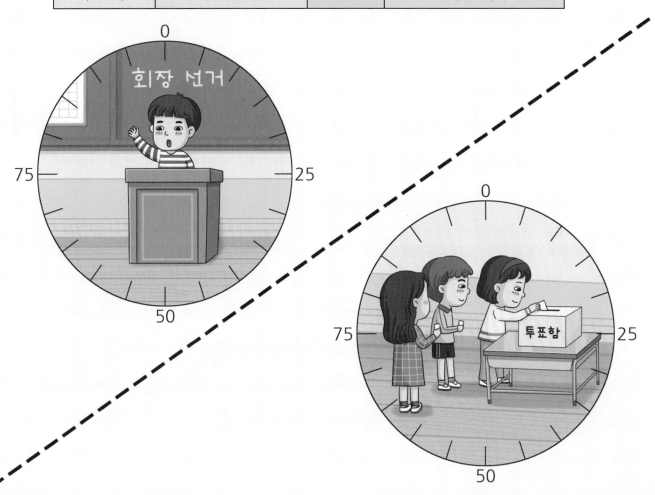

조건
라 후보의 득표율은 나 후보의 3배입니다.

2반 후보자별 득표율

가 후보 (35 %)	나 후보	다 후보 (25 %)	라 후보

반별 회장 선거 득표율

> **조건**
> 가 후보의 득표율은 라 후보의 4배입니다.

3반 후보자별 득표율

가 후보	나 후보 (35 %)	다 후보 (25 %)	라 후보

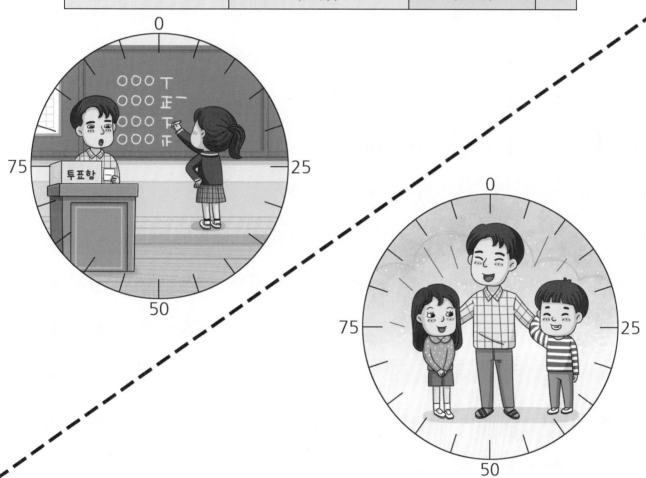

> **조건**
> 다 후보의 득표율은 가 후보의 2배입니다.

4반 후보자별 득표율

가 후보	나 후보 (36 %)	다 후보	라 후보 (28 %)

개념 1 띠그래프 알아보기

01 영재네 반 학생들이 받고 싶은 선물을 조사하여 나타낸 그래프입니다. 물음에 답하세요.

받고 싶은 선물별 학생 수

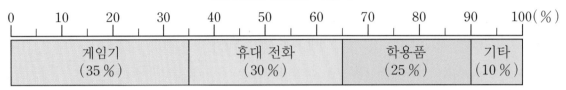

(1) 위와 같이 전체에 대한 각 부분의 비율을 띠 모양에 나타낸 그래프를 무엇이라고 하는지 써 보세요.

(   )

(2) 가장 많은 학생이 받고 싶은 선물을 찾아 써 보세요.

(   )

02 정우네 학교 학생들이 좋아하는 음식을 조사하여 나타낸 띠그래프입니다. 물음에 답하세요.

좋아하는 음식별 학생 수

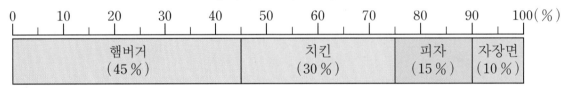

(1) 가장 적은 학생이 좋아하는 음식은 무엇이고 이 음식은 전체의 몇 % 인지 차례로 써 보세요.

(   ), (   )

(2) 치킨을 좋아하는 학생 수는 피자를 좋아하는 학생 수의 몇 배인지 구해 보세요.

(   )

(3) 좋아하는 학생 수가 많은 음식부터 차례로 써 보세요.

(   )

개념 2 | 띠그래프 그리기

03 은주네 반 학생들이 좋아하는 과일을 조사하여 나타낸 표입니다. 물음에 답하세요.

좋아하는 과일별 학생 수

과일	사과	포도	감	배	합계
학생 수(명)	7	6	5	2	20

(1) 전체 학생 수에 대한 좋아하는 과일별 학생 수의 백분율을 구해 보세요.

- 사과: $\dfrac{7}{20} \times 100 = \boxed{}$ (%)   · 포도: $\dfrac{6}{20} \times 100 = \boxed{}$ (%)

- 감: $\dfrac{5}{20} \times 100 = \boxed{}$ (%)   · 배: $\dfrac{2}{20} \times 100 = \boxed{}$ (%)

(2) (1)에서 구한 백분율을 이용하여 띠그래프를 완성해 보세요.

좋아하는 과일별 학생 수

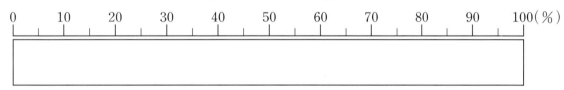

04 현수네 학교 학생들이 가고 싶은 나라를 조사하여 나타낸 표입니다. 물음에 답하세요.

가고 싶은 나라별 학생 수

나라	미국	영국	호주	중국	기타	합계
학생 수(명)	105	75	60	45	15	300
백분율(%)						

(1) 전체 학생 수에 대한 가고 싶은 나라별 학생 수의 백분율을 구하여 위 표를 완성해 보세요.

(2) 위 표를 보고 띠그래프를 완성해 보세요.

가고 싶은 나라별 학생 수

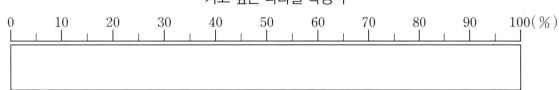

개념3 원그래프 알아보기

05 지우네 반 학생들이 태어난 계절을 조사하여 나타낸 원그래프입니다. 물음에 답하세요.

태어난 계절별 학생 수

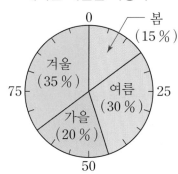

(1) 가장 많은 학생이 태어난 계절은 무엇이고 이 계절은 전체의 몇 %인지 차례로 써 보세요.

(   ), (   )

(2) 태어난 학생 수가 적은 계절부터 차례로 써 보세요.

(   )

06 연후네 학교 학생들이 등교하는 방법을 조사하여 나타낸 원그래프입니다. 물음에 답하세요.

등교 방법별 학생 수

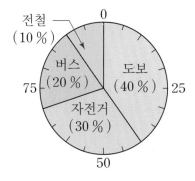

(1) 자전거로 등교하는 학생 수는 전철로 등교하는 학생 수의 몇 배인지 구해 보세요.

(   )

(2) 등교하는 학생 수가 버스의 2배인 등교 방법은 무엇인지 써 보세요.

(   )

개념 4 원그래프 그리기

07 현철이네 반 학생들이 배우고 싶은 악기를 조사하여 나타낸 표입니다. 물음에 답하세요.

배우고 싶은 악기별 학생 수

악기	피아노	플루트	바이올린	기타	합계
학생 수(명)	12	9	6	3	30

(1) 전체 학생 수에 대한 배우고 싶은 악기별 학생 수의 백분율을 구해 보세요.

- 피아노: $\dfrac{12}{30} \times 100 = \boxed{}$ (%) ⋅ 플루트: $\dfrac{9}{30} \times 100 = \boxed{}$ (%)

- 바이올린: $\dfrac{6}{30} \times 100 = \boxed{}$ (%) ⋅ 기타: $\dfrac{3}{30} \times 100 = \boxed{}$ (%)

(2) (1)에서 구한 백분율을 이용하여 원그래프를 완성해 보세요.

배우고 싶은 악기별 학생 수

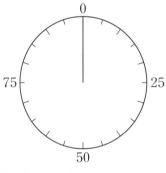

08 근우네 학교 학생들의 장래 희망을 조사하여 나타낸 표입니다. 물음에 답하세요.

장래 희망별 학생 수

장래 희망	연예인	의사	운동 선수	선생님	기타	합계
학생 수(명)	200	150	75	50	25	500
백분율(%)						

(1) 전체 학생 수에 대한 장래 희망별 학생 수의 백분율을 구하여 위 표를 완성해 보세요.

(2) 위 표를 보고 원그래프를 완성해 보세요.

장래 희망별 학생 수

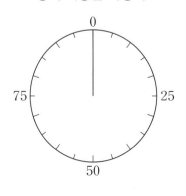

개념 5 그래프 해석하기

09 어떤 지역의 연령별 인구 구성비를 조사하여 나타낸 그래프입니다. 물음에 답하세요.

연령별 인구 구성비

	19세 이하	20~59세	60세 이상
1995년	22.4 %	51.6 %	26 %
2005년	16.5 %	54 %	29.5 %
2015년	13.1 %	55.1 %	31.8 %

(1) 이 지역의 1995년의 전체 인구가 50000명이라면 그해 60세 이상의 인구는 몇 명인지 구해 보세요.

(   )

(2) 위 그래프를 보고 알 수 있는 내용을 한 가지만 써 보세요.

_____

_____

10 어떤 지역에서 생산한 곡물의 양을 조사하여 나타낸 그래프입니다. 물음에 답하세요.

곡물별 생산량

	쌀	보리	밀
2016년	50.5 %	25.7 %	23.8 %
2017년	48 %	26.9 %	25.1 %
2018년	46.3 %	26.7 %	27 %

(1) 2017년의 쌀 또는 보리의 생산량은 전체의 몇 % 인지 구해 보세요.

(   )

(2) 위 그래프를 보고 알 수 있는 내용을 한 가지만 써 보세요.

_____

_____

개념6 여러 가지 그래프 비교하기

11 알맞은 그래프에 ○표 하세요.

(1) 그림의 크기와 수로 수량의 많고 적음을 쉽게 알 수 있는 것은
(그림그래프 , 막대그래프)입니다.

(2) 조사한 자료를 막대 모양으로 나타낸 것은 (막대그래프 , 띠그래프)입니다.

(3) 자료의 변화하는 정도를 알아보기 쉬운 것은 (원그래프 , 꺾은선그래프)입니다.

(4) 각 항목끼리의 비율을 쉽게 비교할 수 있는 것은 (그림그래프 , 띠그래프)입니다.

12 자료를 그래프로 나타낼 때 어떤 그래프가 좋을지 보기 에서 찾아 1가지씩 써넣으세요.

보기

그림그래프	막대그래프	꺾은선그래프	띠그래프	원그래프

자료	그래프
우리 반 친구들이 좋아하는 계절	
내 키의 월별 변화	
권역별 쌀 생산량	

13 교실의 시각별 온도의 변화를 그래프로 나타낼 때 어떤 그래프가 좋을지 쓰고, 그 이유도 써 보세요.

( )

_____

_____

★ 두 그래프의 항목의 수 비교하기

1 어느 피자 가게의 7월과 8월의 판매량을 조사하여 나타낸 띠그래프입니다. 7월의 총 판매량은 300판, 8월의 총 판매량은 450판입니다. 불고기 피자 판매량이 더 많은 달은 몇 월인지 구해 보세요.

7월 판매량

8월 판매량

답 _____

개념 피드백
① 7월과 8월의 불고기 피자 판매량을 각각 구합니다.
② 7월과 8월의 불고기 피자 판매량을 비교합니다.

1-1 은지네 학교 5학년, 6학년 학생들의 혈액형을 조사하여 나타낸 원그래프입니다. 5학년은 총 420명, 6학년은 총 500명입니다. B형인 학생이 더 많은 학년은 몇 학년인지 구해 보세요.

5학년 혈액형별 학생 수

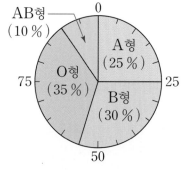

6학년 혈액형별 학생 수

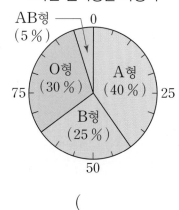

( )

★ 그래프에서 항목의 비율 구하기

2 정수네 학교 학생들이 가고 싶은 장소를 조사하여 나타낸 띠그래프입니다. 산을 가고 싶은 학생 수가 계곡을 가고 싶은 학생 수의 2배일 때, 전체에 대한 산을 가고 싶은 학생 수의 비율은 몇 %인지 구해 보세요.

가고 싶은 장소별 학생 수

산	바다 (22 %)	유적지 (20 %)	계곡	기타 (10 %)

답 _____

> **개념 피드백**
> ① 백분율의 합계가 100 %임을 이용하여 산과 계곡의 백분율의 합을 구합니다.
> ② 조건을 이용하여 산을 가고 싶은 학생 수의 백분율을 구합니다.

2-1 희지네 학교 학생들이 좋아하는 영화 장르를 조사하여 나타낸 띠그래프입니다. 만화 영화를 좋아하는 학생 수가 공포 영화를 좋아하는 학생 수의 2배일 때, 전체에 대한 만화 영화를 좋아하는 학생 수의 비율은 몇 %인지 구해 보세요.

좋아하는 영화 장르별 학생 수

코미디 (31 %)	만화	액션 (27 %)	공포

(   )

2-2 어느 농장에서 기르는 가축의 수를 조사하여 나타낸 띠그래프입니다. 돼지의 수가 닭의 수의 3배일 때, 전체 가축 수에 대한 돼지 수의 비율은 몇 %인지 구해 보세요.

기르는 가축별 수

돼지	소 (20 %)	염소 (17 %)	닭	기타 (15 %)

(   )

⭐ 모르는 값 구하여 그림그래프 완성하기

3 지역별 고구마 생산량을 조사하여 나타낸 그림그래프입니다. 네 지역의 평균 생산량은 31 t입니다. 그림그래프를 완성해 보세요.

지역별 고구마 생산량

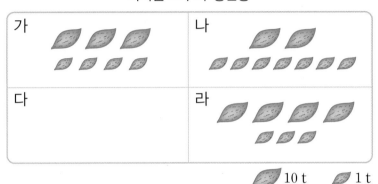

🍠 10 t   🌱 1 t

개념 피드백
① 가, 나, 라 지역의 생산량을 각각 구합니다.
② 네 지역의 전체 생산량을 구합니다.
③ 다 지역의 생산량을 구하여 그림그래프를 완성합니다.

3-1 도시별 인구 수를 조사하여 나타낸 그림그래프입니다. 네 도시의 평균 인구 수는 48만 명입니다. 그림그래프를 완성해 보세요.

도시별 인구 수

도시	인구 수
가	👤👤👤👤 👤👤👤
나	👤👤👤👤👤👤 👤
다	👤👤👤👤👤 👤👤👤👤
라	

👤10만 명   👤1만 명

★ **전체의 수를 이용하여 항목의 수 구하기**

4 어느 지역의 올해 채소별 생산량을 조사하여 나타낸 띠그래프입니다. 전체 생산량이 400 t일 때, 배추 생산량은 오이 생산량보다 몇 t 더 많은지 구해 보세요.

채소별 생산량

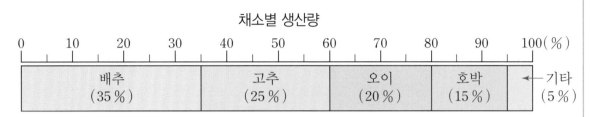

답 _____

① 배추와 오이의 생산량을 각각 구합니다.
② 배추와 오이의 생산량의 차를 구합니다.

4-1 수정이네 학교 학생들이 기르고 싶어 하는 동물을 조사하여 나타낸 띠그래프입니다. 전체 학생 수가 500명일 때, 강아지를 기르고 싶어 하는 학생은 햄스터를 기르고 싶어 하는 학생보다 몇 명 더 많은지 구해 보세요.

기르고 싶어 하는 동물별 학생 수

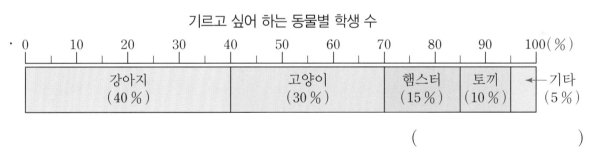

(   )

4-2 안나네 학교 학생들이 좋아하는 운동을 조사하여 나타낸 원 그래프입니다. 전체 학생 수가 600명일 때, 축구와 농구를 좋아하는 학생은 모두 몇 명인지 구해 보세요.

좋아하는 운동별 학생 수

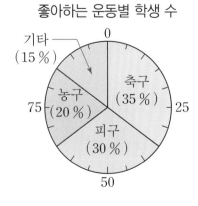

(   )

⭐ **항목별 수를 이용하여 전체의 수 구하기**

5 윤지네 학교 학생들의 장래 희망을 조사하여 나타낸 원그래프입니다. 장래 희망이 운동 선수인 학생이 40명일 때, 조사한 전체 학생은 몇 명인지 구해 보세요.

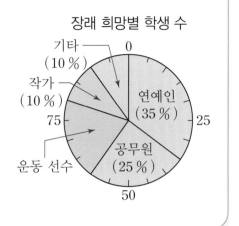

장래 희망별 학생 수

답 _____

개념 피드백 ① 전체 학생 수에 대한 장래 희망이 운동 선수인 학생 수의 비율을 구합니다.
② ①에서 구한 비율을 이용하여 전체 학생 수를 구합니다.

5-1 보라네 학교 학생들의 혈액형을 조사하여 나타낸 원그래프입니다. O형인 학생이 120명일 때, 조사한 전체 학생은 몇 명인지 구해 보세요.

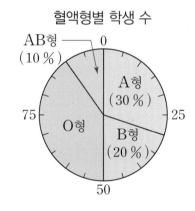

혈액형별 학생 수

(   )

5-2 민주네 학교 학생들이 좋아하는 색깔을 조사하여 나타낸 띠그래프입니다. 파란색과 분홍색을 좋아하는 학생이 200명일 때, 조사한 전체 학생은 몇 명인지 구해 보세요.

좋아하는 색깔별 학생 수

(   )

★ 두 그래프 해석하기

6 준영이네 학교 학생들이 좋아하는 계절을 조사하여 나타낸 띠그래프와 가을을 좋아하는 학생의 남녀 비율을 나타낸 원그래프입니다. 조사한 전체 학생이 600명일 때, 가을을 좋아하는 여학생은 몇 명인지 구해 보세요.

가을을 좋아하는 학생의 남녀 비율

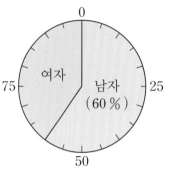

좋아하는 계절별 학생 수

봄 (20 %)	여름 (25 %)	가을 (40 %)	겨울 (15 %)

답 _____

개념 피드백

① 가을을 좋아하는 학생 수를 구합니다.
② 가을을 좋아하는 여학생의 비율을 구합니다.
③ ①과 ②를 이용하여 가을을 좋아하는 여학생 수를 구합니다.

6-1 어느 지역의 토지 이용도를 나타낸 원그래프와 밭용 토지의 이용도를 나타낸 띠그래프입니다. 이 지역의 전체 토지 넓이가 800 km^2일 때, 배추를 심은 밭의 넓이는 몇 km^2인지 구해 보세요.

토지 이용도별 넓이

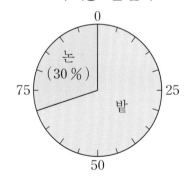

밭용 토지의 이용도별 넓이

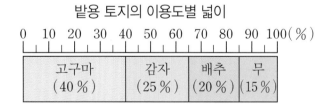

고구마 (40 %)	감자 (25 %)	배추 (20 %)	무 (15 %)

(   )

서술형 연습
1 표를 보고 띠그래프로 나타내려고 합니다. 띠그래프에서 전체에 대한 무용이 차지하는 비율은 몇 %인지 구해 보세요.

배우고 싶은 운동별 학생 수

운동	수영	태권도	무용	기타	합계
학생 수(명)		90		15	300
백분율(%)	40				100

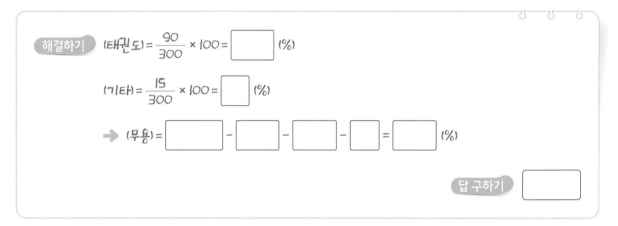

해결하기 $(태권도) = \dfrac{90}{300} \times 100 = \boxed{}$ (%)

$(기타) = \dfrac{15}{300} \times 100 = \boxed{}$ (%)

➡ $(무용) = \boxed{} - \boxed{} - \boxed{} - \boxed{} = \boxed{}$ (%)

답 구하기 $\boxed{}$

서술형 실전
2 표를 보고 원그래프로 나타내려고 합니다. 원그래프에서 전체에 대한 진달래가 차지하는 비율은 몇 %인지 구해 보세요.

좋아하는 꽃별 학생 수

꽃	무궁화	진달래	개나리	기타	합계
학생 수(명)	72		32		200
백분율(%)				24	100

 해결하기

답 구하기

3 어느 수산 시장에서 1년 동안 판매된 수산물의 종류를 조사하여 나타낸 띠그래프입니다. 가장 많이 판매된 수산물은 갈치의 몇 배인지 소수로 구해 보세요.

수산물별 판매량

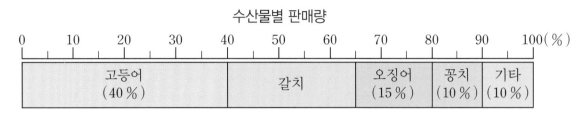

| 고등어 (40 %) | 갈치 | 오징어 (15 %) | 꽁치 (10 %) | 기타 (10 %) |

1주 교과서

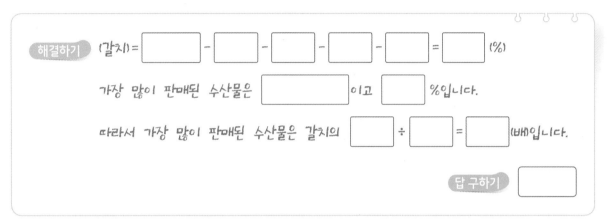

해결하기

(갈치) = ☐ − ☐ − ☐ − ☐ − ☐ = ☐ (%)

가장 많이 판매된 수산물은 ☐ 이고 ☐ %입니다.

따라서 가장 많이 판매된 수산물은 갈치의 ☐ ÷ ☐ = ☐ (배)입니다.

답 구하기 ☐

4 종서네 학교 학생들의 방과 후 활동을 조사하여 나타낸 원그래프입니다. 가장 많은 학생의 방과 후 활동은 바둑의 몇 배인지 소수로 구해 보세요.

방과 후 활동별 학생 수

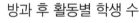

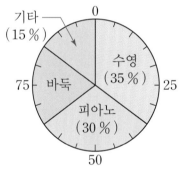

해결하기

답 구하기

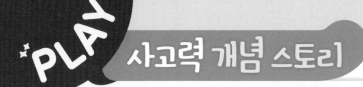

사고력 개념 스토리 그림그래프 완성하기

준비물 ◀ 붙임딱지

주어진 조건 을 보고 빈 곳에 채소 붙임딱지를 붙여 그림그래프를 완성해 보세요.

조건

네 마을의 전체 생산량은 1700 kg이고, 가 마을의 생산량은 나 마을보다 50 kg 더 많습니다.

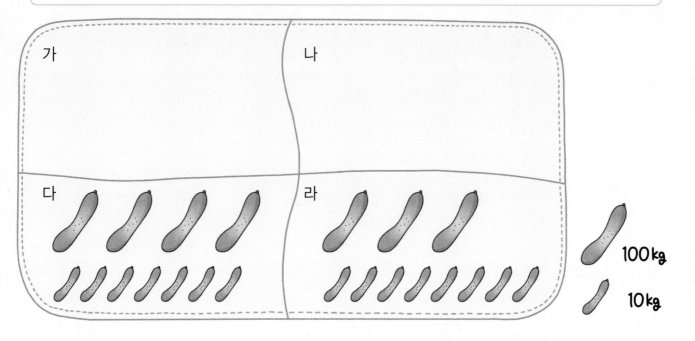

조건

네 마을의 전체 생산량은 1770 kg이고, 다 마을의 생산량은 라 마을보다 20 kg 더 많습니다.

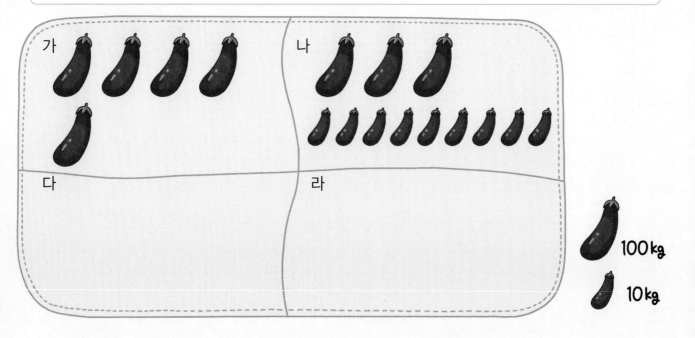

채소별 생산량 조사 기록지

2
주

사고력

조건
> 네 마을의 전체 생산량은 1350 kg이고, 가 마을의 생산량은 다 마을보다 50 kg 더 적습니다.

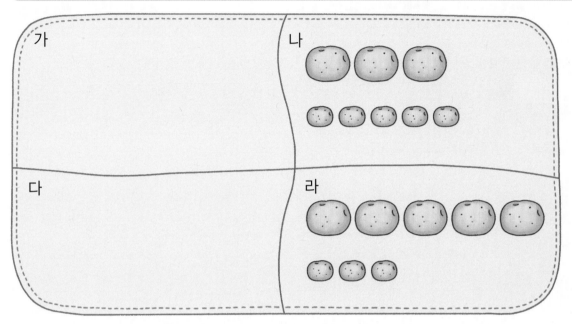

 100kg

 10kg

조건
> 네 마을의 전체 생산량은 1390 kg이고, 나 마을의 생산량은 라 마을보다 30 kg 더 적습니다.

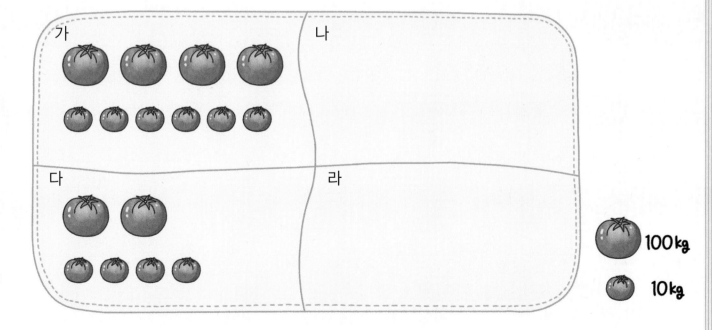

준비물 붙임딱지

☐ 안에 알맞은 수를 써넣고 각 항목과 백분율이 써 있는 띠그래프 조각 붙임딱지를 붙여 띠그래프를 완성해 보세요.

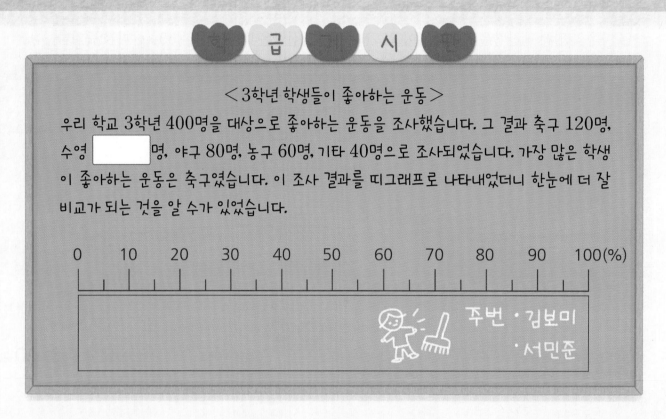

학급 게시판

< 3학년 학생들이 좋아하는 운동 >

우리 학교 3학년 400명을 대상으로 좋아하는 운동을 조사했습니다. 그 결과 축구 120명, 수영 ☐☐☐명, 야구 80명, 농구 60명, 기타 40명으로 조사되었습니다. 가장 많은 학생이 좋아하는 운동은 축구였습니다. 이 조사 결과를 띠그래프로 나타내었더니 한눈에 더 잘 비교가 되는 것을 알 수가 있었습니다.

```
0    10   20   30   40   50   60   70   80   90  100(%)
```

주번 ·김보미
·서민준

학급 게시판

< 4학년 학생들이 좋아하는 운동 >

우리 학교 4학년 500명을 대상으로 좋아하는 운동을 조사했습니다. 그 결과 축구 175명, 농구 125명, 야구 100명, 수영 ☐☐☐명, 기타 25명으로 조사되었습니다. 가장 많은 학생이 좋아하는 운동은 축구였습니다. 이 조사 결과를 띠그래프로 나타내었더니 한눈에 더 잘 비교가 되는 것을 알 수가 있었습니다.

```
0    10   20   30   40   50   60   70   80   90  100(%)
```

오늘의 숙제 ·수학 34~35P 풀어오기.
·독후감 써오기

<5학년 학생들이 좋아하는 운동>

우리 학교 5학년 300명을 대상으로 좋아하는 운동을 조사했습니다. 그 결과 야구 90명, 축구 75명, 수영 [　] 명, 농구 45명, 기타 30명으로 조사되었습니다. 가장 많은 학생이 좋아하는 운동은 야구였습니다. 이 조사 결과를 띠그래프로 나타내었더니 한눈에 더 잘 비교가 되는 것을 알 수가 있었습니다.

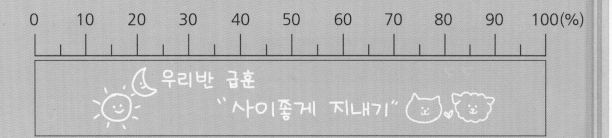

<6학년 학생들이 좋아하는 운동>

우리 학교 6학년 600명을 대상으로 좋아하는 운동을 조사했습니다. 그 결과 야구 210명, 농구 150명, 축구 120명, 수영 [　] 명, 기타 30명으로 조사되었습니다. 가장 많은 학생이 좋아하는 운동은 야구였습니다. 이 조사 결과를 띠그래프로 나타내었더니 한눈에 더 잘 비교가 되는 것을 알 수가 있었습니다.

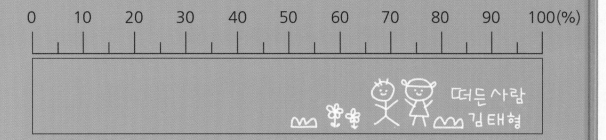

1 가마별 구운 옹기의 수를 조사하여 나타낸 그림그래프입니다. 네 가마의 평균 옹기 수가 3800개이고 A 가마의 옹기 수는 C 가마의 옹기 수보다 1300개 더 많습니다. 그림그래프를 완성해 보세요.

▲ 가마

가마별 구운 옹기 수

가마	옹기 수
A	
B	🏺🏺🏺🏺 🏺🏺🏺🏺🏺
C	
D	🏺🏺🏺🏺🏺 🏺🏺

🏺 1000개
🏺 100개

① B와 D 가마의 옹기 수는 몇 개인지 각각 구해 보세요.

B 가마 (   )
D 가마 (   )

② 네 가마의 전체 옹기 수는 모두 몇 개인지 구해 보세요.

(   )

③ A와 C 가마의 옹기 수는 몇 개인지 각각 구해 보세요.

A 가마 (   )
C 가마 (   )

④ 위 그림그래프를 완성해 보세요.

2 영호네 학교 학생 500명의 혈액형을 조사하여 나타낸 띠그래프입니다. 띠그래프의 전체 길이가 20 cm일 때, 원그래프로 바꾸어 나타내어 보세요.

혈액형별 학생 수

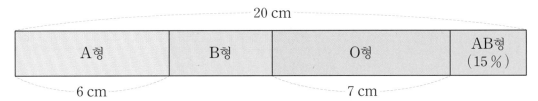

1 A형의 비율은 전체의 몇 % 인지 구해 보세요.

( )

2 O형의 비율은 전체의 몇 % 인지 구해 보세요.

( )

3 B형의 비율은 전체의 몇 % 인지 구해 보세요.

( )

4 위 띠그래프를 원그래프로 나타내어 보세요.

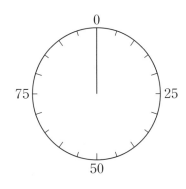

3 영지네 학교 6학년 학생들의 하루 TV 시청 시간을 조사하여 나타낸 원그래프입니다. TV 시청 시간이 3시간 이상인 학생이 40명일 때, TV 시청 시간이 2시간 미만인 학생은 몇 명인지 구해 보세요.

TV 시청 시간별 학생 수

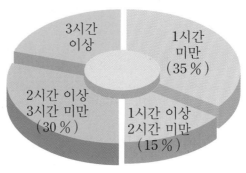

1 TV 시청 시간이 3시간 이상의 비율은 전체의 몇 % 인지 구해 보세요.

(   )

2 조사한 전체 학생은 몇 명인지 구해 보세요.

(   )

3 TV 시청 시간이 2시간 미만의 비율은 전체의 몇 % 인지 구해 보세요.

(   )

4 TV 시청 시간이 2시간 미만인 학생은 몇 명인지 구해 보세요.

(   )

4 어떤 농장의 전체 가축 수에 대한 가축별 구성비를 조사하여 나타낸 그래프입니다. 물음에 답하세요.

가축별 구성비

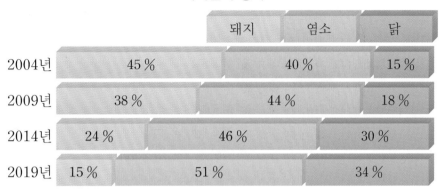

	돼지	염소	닭
2004년	45 %	40 %	15 %
2009년	38 %	44 %	18 %
2014년	24 %	46 %	30 %
2019년	15 %	51 %	34 %

1 2009년의 돼지 또는 닭의 수는 전체의 몇 %인지 구해 보세요.

( )

2 2014년에 닭의 수는 돼지의 수의 몇 배인지 소수로 구해 보세요.

( )

3 전체에 대한 가축 수의 비율이 같은 것을 찾으려고 합니다. ☐ 안에 알맞은 수 또는 말을 써넣으세요.

☐년 ☐ , ☐년 ☐

4 위 그래프를 보고 알 수 있는 내용을 한 가지만 써 보세요.

_____

_____

1 원재네 반 학생들이 좋아하는 과일을 조사한 자료를 보고 띠그래프로 나타내어 보세요.

	바나나	포도	오렌지				배		사과
원재	진용	수빈	경진	인혜	혁찬	지원	정훈	지영	용준
은제	수진	지혜	승철	부영	미라	현종	시현	연아	혜경

좋아하는 과일별 학생 수

과일	바나나	포도	오렌지	기타	합계
학생 수(명)					
백분율(%)					

① 표에서 기타에 넣은 과일을 모두 찾아 쓰고, 그 이유도 써 보세요.

(   )

_____

② 위 표를 완성해 보세요.

③ 위 표를 보고 전체 길이가 12 cm인 띠그래프로 나타내려고 합니다. ☐ 안에 알맞은 수를 써넣고 띠그래프에 항목과 길이를 나타내어 보세요.

바나나: ☐ cm, 포도: ☐ cm, 오렌지: ☐ cm, 기타: ☐ cm

좋아하는 과일별 학생 수

----- 12 cm -----

2 세 마을의 올해 곡물별 수확량을 조사하여 나타낸 막대그래프입니다. 막대그래프와 관계있는 원그래프를 찾아 선으로 이어 보세요.

동우네 마을 곡물별 수확량

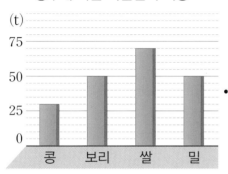

곡물별 수확량

민지네 마을 곡물별 수확량

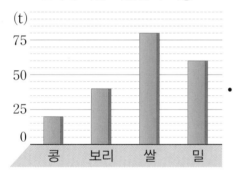

곡물별 수확량

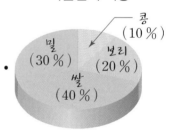

윤호네 마을 곡물별 수확량

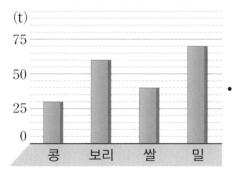

곡물별 수확량

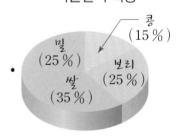

3 지우네 학교 학생 500명이 좋아하는 음식을 조사하여 나타낸 원그래프입니다. 피자를 좋아하는 학생은 떡볶이를 좋아하는 학생보다 몇 명 더 많은지 구해 보세요. (단, 원그래프에서 각도의 합계는 360°입니다.)

좋아하는 음식별 학생 수

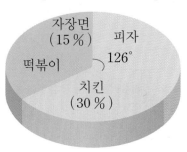

① 피자를 좋아하는 학생의 비율은 전체의 몇 %인지 구해 보세요.

( )

② 떡볶이를 좋아하는 학생의 비율은 전체의 몇 %인지 구해 보세요.

( )

③ 피자와 떡볶이를 좋아하는 학생은 각각 몇 명인지 구해 보세요.

피자 ( )

떡볶이 ( )

④ 피자를 좋아하는 학생은 떡볶이를 좋아하는 학생보다 몇 명 더 많은지 구해 보세요.

( )

4 다음은 어느 지역의 연령별 스마트폰 이용자 수를 조사하여 나타낸 표와 그림그래프입니다. 그림그래프를 완성해 보세요.

연령별 스마트폰 이용자 수

연령	이용자 수	어림값	연령	이용자 수	어림값
19세 이하	4125명	4100명	40~59세	5394명	5400명
20~39세	6158명		60세 이상	2539명	

연령별 스마트폰 이용자 수

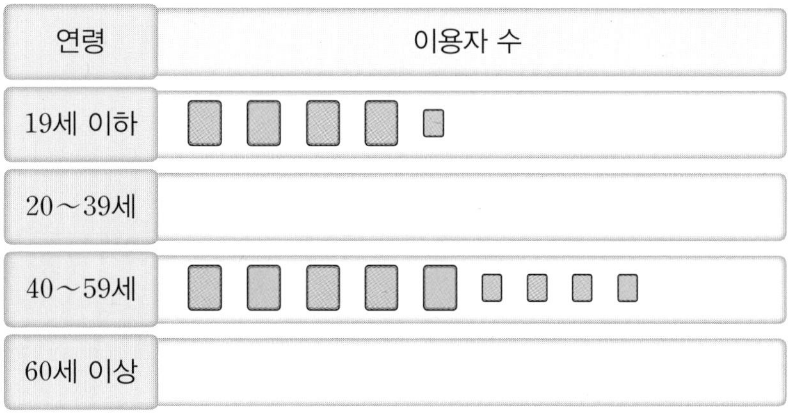

연령	이용자 수
19세 이하	▣ ▣ ▣ ▣ ▫
20~39세	
40~59세	▣ ▣ ▣ ▣ ▣ ▫ ▫ ▫ ▫
60세 이상	

① 위 표에서 이용자 수를 어림한 방법에 ○표 하세요.

올림하여 백의 자리까지	반올림하여 백의 자리까지	버림하여 백의 자리까지
( )	( )	( )

② 위 그림그래프에서 ▣와 ▫는 각각 몇 명을 나타내는지 구해 보세요.

▣ ( )

▫ ( )

③ 위 그림그래프를 완성해 보세요.

평가 영역 ☑개념 이해력 ☐개념 응용력 ☐창의력 ☐문제 해결력

1 미라네 반 학생들의 혈액형을 조사하여 나타낸 띠그래프입니다. 띠그래프를 보고 원을 몇 등분 한 원그래프로 바꿔서 나타내었더니 A형은 7칸이 되었습니다. 원을 몇 등분 한 것인 지 구해 보세요.

혈액형별 학생 수

A형 (28 %)	B형 (24 %)	O형 (36 %)	AB형 (12 %)

(   )

평가 영역 ☐개념 이해력 ☐개념 응용력 ☐창의력 ☑문제 해결력

2 버스 이용자 5000명을 대상으로 만족 여부를 조사하여 나타낸 원그래프와 불만족인 이용 자를 대상으로 불만족 이유를 조사하여 나타낸 띠그래프입니다. 버스 요금을 할인하였더니 불만족인 이유가 비싼 요금인 이용자가 모두 만족으로 바뀌었다면 만족인 이용자는 몇 명이 되었는지 구해 보세요.

만족 여부

불만족
(20 %)

만족
(80 %)

불만족 이유

정시 미도착 (45 %)	비싼 요금 (25 %)	노선표 (20 %)	기타 (10 %)

(   )

3

📋 **평가 영역** ☐개념 이해력 ☐개념 응용력 ☑창의력 ☐문제 해결력

조건 에 따라 전체 길이가 14 cm인 띠 모양의 종이를 색칠하고, 색칠한 부분마다 길이를 나타내어 보세요.

조건

- 양쪽 끝에 같은 비율만큼 빨간색을 색칠합니다.
- 그 안쪽의 양쪽 끝에 파란색을 같은 비율만큼 색칠합니다.
- 나머지 부분에는 모두 초록색을 색칠합니다.
- 띠 모양의 종이 전체에서 파란색의 비율은 빨간색의 2배이고, 초록색의 비율은 파란색의 비율과 같습니다.

14 cm

4

📋 **평가 영역** ☐개념 이해력 ☐개념 응용력 ☐창의력 ☑문제 해결력

어떤 가게의 월별 아이스크림 판매량을 조사하여 나타낸 그림그래프입니다. 판매량을 반올림하여 백의 자리까지 나타낸 것이라면 판매량이 가장 많은 달과 판매량이 가장 적은 달의 판매량의 차는 최대 몇 개인지 구해 보세요.

월별 아이스크림 판매량

월	판매량
1월	🍦🍦🍦🍦🍦🍨🍨
2월	🍨🍨🍨🍨🍨🍨🍨🍨🍨🍨
3월	🍨🍨🍨🍨🍨🍨🍨
4월	🍨🍨🍨🍨🍨🍨🍨

🍦1000개

🍨 100개

(   )

[1~4] 어느 영화관의 상영관별 관람객 수를 조사하여 나타낸 표입니다. 물음에 답하세요.

상영관별 관람객 수

상영관	가	나	다	라
관람객 수(명)	120	250	310	160

1 위 표를 보고 그림그래프를 완성해 보세요.

상영관별 관람객 수

상영관	관람객 수
가	
나	
다	
라	

👤 100명

👤 10명

2 관람객 수가 가장 많은 상영관을 찾아 기호를 써 보세요.

( )

3 관람객 수가 가장 적은 상영관을 찾아 기호를 써 보세요.

( )

4 관람객 수가 라 상영관보다 더 많은 상영관을 모두 찾아 기호를 써 보세요.

( )

[5~7] 정우네 반 학생들이 좋아하는 간식을 조사하여 나타낸 표입니다. 물음에 답하세요.

좋아하는 간식별 학생 수

간식	치킨	피자	떡볶이	김밥	합계
학생 수(명)	8	6	4	2	20
백분율(%)					

5 전체 학생 수에 대한 좋아하는 간식별 학생 수의 백분율을 구하여 위 표를 완성해 보세요.

6 위 표를 보고 띠그래프를 완성해 보세요.

좋아하는 간식별 학생 수

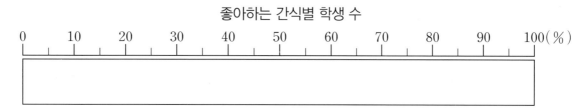

7 좋아하는 학생의 비율이 떡볶이의 2배인 간식을 찾아 써 보세요.

(   )

8 다음 중 띠그래프 또는 원그래프로 나타내면 좋은 자료를 모두 찾아 기호를 써 보세요.

㉠ 하루 동안의 교실의 온도 변화	㉡ 우리 도시 각 지역의 인구
㉢ 우리 반 학생들이 좋아하는 동물	㉣ 6학년 각 반 시험 성적 평균

(   )

9 현철이네 학교 학생들이 수학여행으로 가고 싶은 일정을 조사하여 나타낸 띠그래프입니다. 가장 많은 학생이 가고 싶은 일정을 찾아 써 보세요.

수학여행 일정별 학생 수

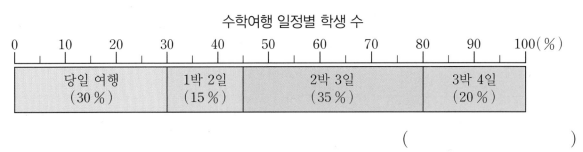

(   )

[10~11] 주희네 학교 6학년 학생들이 좋아하는 생선을 조사하여 나타낸 원그래프입니다. 물음에 답하세요.

좋아하는 생선별 학생 수

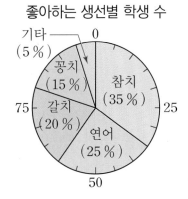

10 연어를 좋아하는 학생 수는 갈치를 좋아하는 학생 수의 몇 배인지 소수로 나타내어 보세요.

(   )

11 주희네 학교 6학년 전체 학생 수가 120명일 때, 원그래프를 보고 표를 완성해 보세요.

좋아하는 생선별 학생 수

생선	참치	연어	갈치	꽁치	기타	합계
학생 수(명)						

[12~16] 효주네 마을에서 한 달 동안 배출한 재활용품의 양을 조사하여 나타낸 원그래프입니다. 물음에 답하세요.

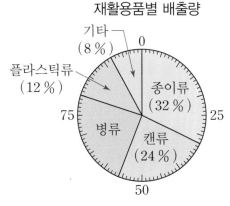

재활용품별 배출량

12 병류는 전체의 몇 %인지 구해 보세요.

( )

13 가장 높은 비율을 차지하는 재활용품은 무엇인지 써 보세요.

( )

14 종이류와 병류의 백분율의 합은 몇 %인지 구해 보세요.

( )

15 캔류의 배출량은 플라스틱류의 배출량의 몇 배인지 구해 보세요.

( )

16 플라스틱류의 배출량이 60 kg이라면 재활용품 전체 배출량은 몇 kg인지 구해 보세요.

( )

[17~18] 명수네 집의 지난달 생활비의 쓰임새를 조사하여 나타낸 원그래프입니다. 물음에 답하세요.

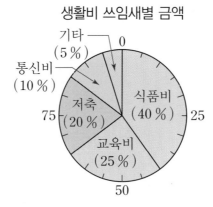

생활비 쓰임새별 금액

17 전체 생활비의 $\frac{1}{4}$을 차지하는 쓰임새는 무엇인지 써 보세요.

(   )

18 저축한 금액이 40만 원이라면 교육비는 얼마인지 구해 보세요.

(   )

19 어느 지역의 토지 이용도를 나타낸 띠그래프와 농업용 토지의 이용도를 나타낸 원그래프입니다. 이 지역의 전체 토지 넓이가 600 km²일 때, 밭의 넓이는 몇 km²인지 구해 보세요.

토지 이용도별 넓이

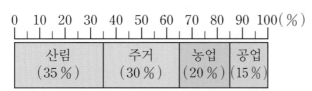

농업용 토지의 이용도별 넓이

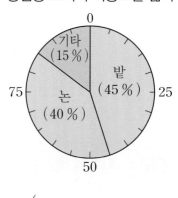

(   )

1

민준이네 학교 학생들이 어린이집 시장놀이를 도와주려고 물건을 모았습니다. 물건별 수를 보고 표를 완성한 후 표를 보고 띠그래프와 원그래프로 각각 나타내어 보세요.

필통 40개　　장난감 80개　　가방 6개

공 50개　　모자 20개　　우산 4개

시장놀이 물건별 수

물건	장난감	공	필통	모자	기타	합계
개수(개)						
백분율(%)						

시장놀이 물건별 수

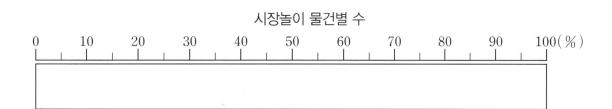

시장놀이 물건별 수

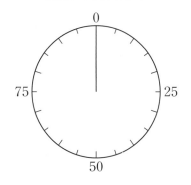

6 직육면체의 부피와 겉넓이

직육면체 모양

우리 생활 주변에서는 직육면체 모양의 여러 가지 물건들을 찾아볼 수 있습니다. 간장, 된장, 고추장을 담그는 원료로 쓰이는 메주는 콩을 삶아서 찧은 다음 덩이를 지어서 띄워 말린 것으로 직육면체 모양입니다. 메주를 이용하여 직육면체의 부피를 비교해 보고 전개도를 알아볼까요?

☆ 임의 단위를 이용하여 상자의 부피 비교하기

부피가 더 큰 상자에 메주를 가득 담아 택배로 보내려고 해.

상자에 크기가 같은 메주를 가득 담아 메주의 수를 세어 보면 부피를 비교할 수 있어.

가와 나 상자에 담을 수 있는 메주는 각각 몇 개인지 구하고 택배로 보낼 상자의 기호에 ○표 하세요.

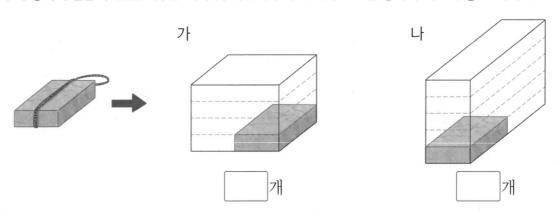

가

나

☐개　　☐개

직육면체와 정육면체에 대해 설명한 것입니다. ☐ 안에 알맞은 말이나 수를 써넣으세요.

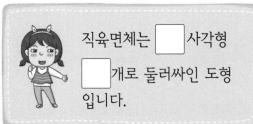

직육면체는 ☐ 사각형 ☐ 개로 둘러싸인 도형 입니다.

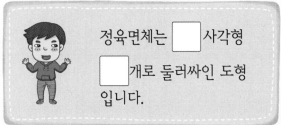

정육면체는 ☐ 사각형 ☐ 개로 둘러싸인 도형 입니다.

입체도형의 모서리를 잘라서 평면 위에 펼쳐 놓은 그림을 입체도형의 전개도라고 합니다. 주어진 직육면체와 정육면체 모양 메주를 보고 각각의 전개도를 그려 보세요.

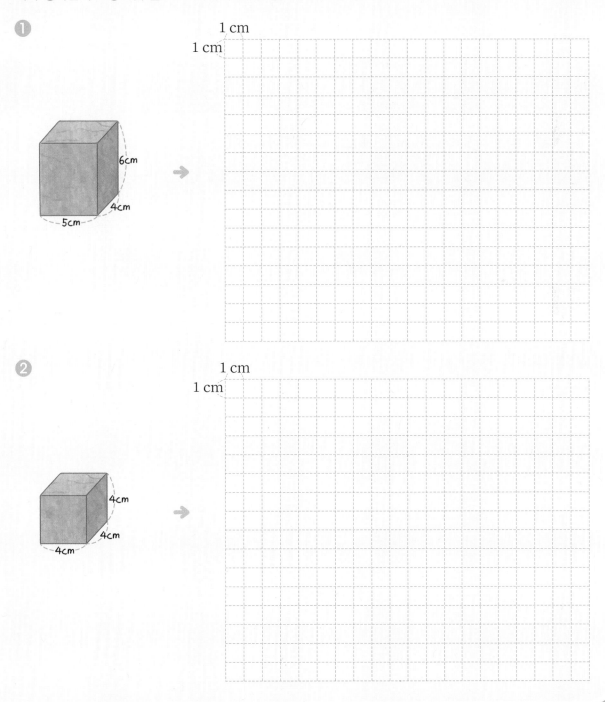

❶

1 cm
1 cm

❷

1 cm
1 cm

개념 1 **직육면체의 부피를 비교하기**

· 상자를 맞대어 비교하기

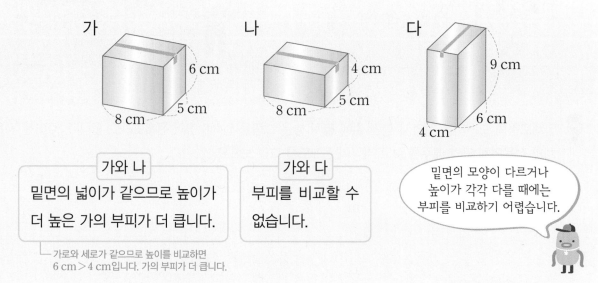

가

나

다

가와 나

밑면의 넓이가 같으므로 높이가 더 높은 가의 부피가 더 큽니다.

└ 가로와 세로가 같으므로 높이를 비교하면 6 cm > 4 cm입니다. 가의 부피가 더 큽니다.

가와 다

부피를 비교할 수 없습니다.

밑면의 모양이 다르거나 높이가 각각 다를 때에는 부피를 비교하기 어렵습니다.

· 상자 속을 크기와 모양이 같은 물건으로 채워 비교하기

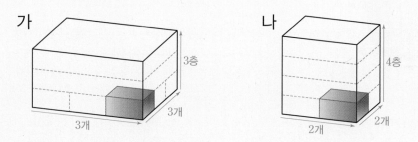

가

나

가 상자에는 벽돌을 27개 담을 수 있습니다.
나 상자에는 벽돌을 16개 담을 수 있습니다.

→ 27개 > 16개이므로 가의 부피가 더 큽니다.

· 쌓기나무를 사용하여 비교하기

① 쌓기나무로 상자와 같은 크기의 직육면체 모양으로 쌓습니다.
② 쌓기나무의 수를 세어 비교합니다.
→ 쌓기나무 수가 많을수록 부피가 더 큽니다.

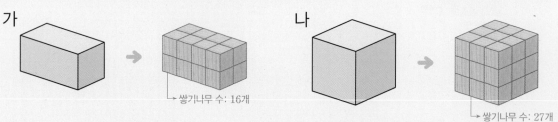

가

나

└ 쌓기나무 수: 16개

└ 쌓기나무 수: 27개

→ 쌓은 쌓기나무 수를 비교하면 16개 < 27개이므로 나의 부피가 더 큽니다.

개념 확인 문제

1-1 부피가 더 큰 직육면체에 ◯표 하세요.

(1)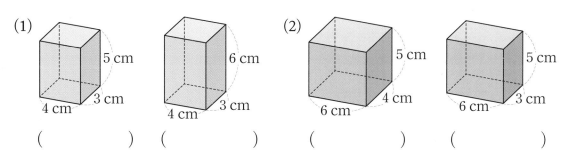

( ) ( ) (2) ( ) ( )

1-2 상자 가와 나에 크기가 같은 작은 상자를 담았습니다. 부피가 더 큰 상자의 기호를 써 보세요.

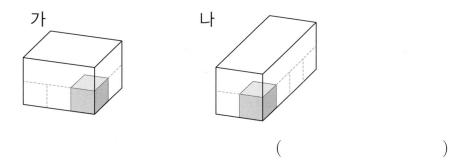

( )

1-3 크기가 같은 쌓기나무를 사용하여 만든 두 직육면체의 부피를 비교하려고 합니다. 물음에 답하세요.

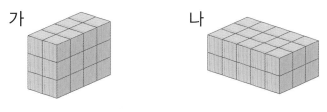

(1) 가와 나의 쌓기나무는 각각 몇 개일까요?

가 ( ), 나 ( )

(2) 가와 나 중에서 부피가 더 큰 직육면체는 어느 것일까요?

( )

개념 2 cm³ 알아보기

- 부피를 나타낼 때 한 모서리의 길이가 1 cm인 정육면체의 부피를 단위로 사용할 수 있습니다.

  ➡ 1 cm³ : 한 모서리의 길이가 1 cm인 정육면체의 부피

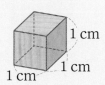 1 cm / 1 cm / 1 cm

쓰기  읽기 1 세제곱센티미터

| 참고 | · 1 cm² : 한 변의 길이가 1 cm인 정사각형의 넓이 | ➡ cm²는 넓이의 단위 |
| | · 1 cm³ : 한 모서리의 길이가 1 cm인 정육면체의 부피 | ➡ cm³는 부피의 단위 |

개념 3 부피 구하기

- 부피가 1 cm³인 쌓기나무의 수를 세어 부피 구하기

 4개 ➡ 4 cm³   8개 ➡ 8 cm³

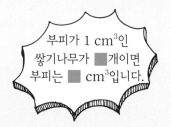 부피가 1 cm³인 쌓기나무가 ▨개이면 부피는 ▨ cm³입니다.

- 직육면체의 부피 구하기

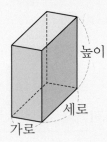 높이 / 세로 / 가로   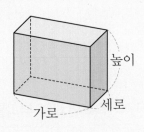 높이 / 가로 / 세로

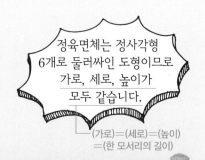 (직육면체의 부피) = (가로) × (세로) × (높이) = (밑면의 넓이) × (높이)

- 정육면체의 부피 구하기

       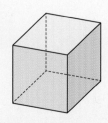

정육면체는 정사각형 6개로 둘러싸인 도형이므로 가로, 세로, 높이가 모두 같습니다.

(가로) = (세로) = (높이) = (한 모서리의 길이)

(정육면체의 부피) = (가로) × (세로) × (높이)
= (한 모서리의 길이) × (한 모서리의 길이) × (한 모서리의 길이)

개념 확인 문제

2 그림을 보고 ☐ 안에 알맞게 써넣으세요.

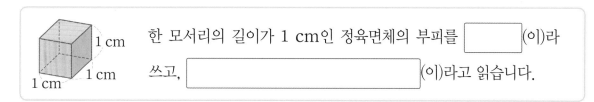

한 모서리의 길이가 1 cm인 정육면체의 부피를 ☐ (이)라 쓰고, ☐ (이)라고 읽습니다.

3
주
교과서

3-1 맞으면 ○표, 틀리면 ×표 하세요.

(1) (직육면체의 부피)=(가로)×(세로)×(높이)······························· ( )

(2) (정육면체의 부피)=(한 모서리의 길이)×3··························· ( )

3-2 직육면체와 정육면체의 부피를 구하려고 합니다. ☐ 안에 알맞은 수를 써넣으세요.

(1)
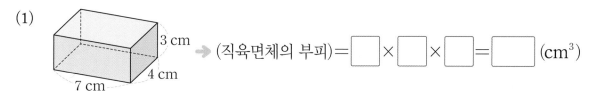

➡ (직육면체의 부피)=☐×☐×☐=☐ (cm³)

(2)
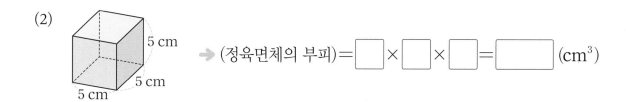

➡ (정육면체의 부피)=☐×☐×☐=☐ (cm³)

3-3 직육면체와 정육면체의 부피는 각각 몇 cm³일까요?

(1)
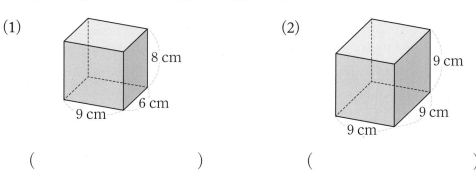

(2)

( )　　　　( )

개념 **4** **m³ 알아보기**

- 부피를 나타낼 때 한 모서리의 길이가 1 m인 정육면체의 부피를 단위로 사용할 수 있습니다.
  - ➡ 1 m³: 한 모서리의 길이가 1 m인 정육면체의 부피

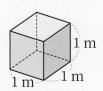

쓰기 $1 \, m^3$ 읽기 1 세제곱미터

참고 ・$1 \, m^2$: 한 변의 길이가 1 m인 정사각형의 넓이 m^2는 넓이의 단위
    ・$1 \, m^3$: 한 모서리의 길이가 1 m인 정육면체의 부피   ➡ m^3는 부피의 단위

개념 **5** **1 m³와 1 cm³의 관계 알아보기**

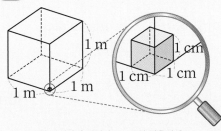

└ 한 모서리의 길이가 1 cm인 정육면체

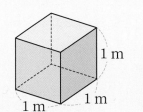 =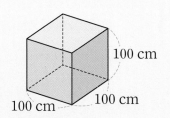

부피가 1 cm³인 정육면체를 부피가 1 m³인 정육면체의 가로에 100개, 세로에 100개, 높이
에 100층을 쌓아야 합니다.
        └ 한 모서리의 길이가 1 m인 정육면체

➡ 부피가 1 m³인 정육면체를 쌓는 데 부피가 1 cm³인 정육면체가
    $100 \times 100 \times 100 = 1000000$(개) 필요합니다.

$$1 \, m^3 = 1 \, m \times 1 \, m \times 1 \, m$$
$$= 100 \, cm \times 100 \, cm \times 100 \, cm$$
$$= 1000000 \, cm^3$$

$$1 \, m^3 = 1\underline{000000} \, cm^3$$
        └ 0이 6개

m^3를 cm^3로 바꾸기	cm^3를 m^3로 바꾸기
$1 \, m^3 = 1000000 \, cm^3$	$1000000 \, cm^3 = 1 \, m^3$
➡ ■ m^3 = ■$000000 \, cm^3$	➡ ★$000000 \, cm^3$ = ★ m^3
0이 6개 늘어납니다.	0이 6개 줄어듭니다.
예 $2 \, m^3 = 2000000 \, cm^3$	예 $3000000 \, cm^3 = 3 \, m^3$

개념 확인 문제

4 그림을 보고 ☐ 안에 알맞게 써넣으세요.

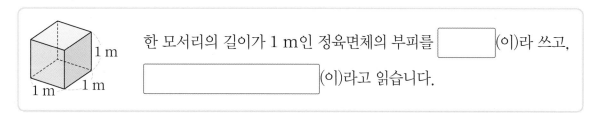

한 모서리의 길이가 1 m인 정육면체의 부피를 ☐ (이)라 쓰고,

☐ (이)라고 읽습니다.

5-1 부피가 1 m³인 정육면체 모양 나무 블록의 모서리의 길이를 m와 cm 단위로 나타낸 것입니다. ☐ 안에 알맞은 수를 써넣으세요.

(1)

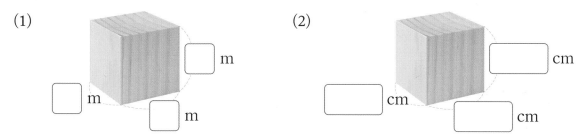

☐ m ☐ m ☐ m

(2)

☐ cm ☐ cm ☐ cm

5-2 ☐ 안에 알맞은 수를 써넣으세요.

(1) 6 m³ = ☐ cm³

(2) 0.4 m³ = ☐ cm³

(3) 8000000 cm³ = ☐ m³

(4) 700000 cm³ = ☐ m³

5-3 직육면체의 부피는 몇 m³일까요?

(1)

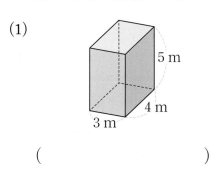

5 m 4 m 3 m

(   )

(2)

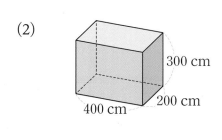

300 cm 200 cm 400 cm

(   )

개념 **6** 직육면체의 겉넓이 구하기
└ 직육면체 여섯 면의 넓이의 합

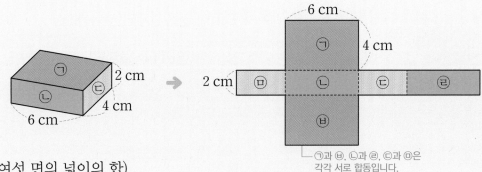

└ ㉠과 ㅂ, ㉡과 ㉣, ㉢과 ㉤은 각각 서로 합동입니다.

방법1 (여섯 면의 넓이의 합)

$= ㉠ + ㉡ + ㉢ + ㉣ + ㉤ + ㅂ$

$= 6 \times 4 + 6 \times 2 + 4 \times 2 + 6 \times 2 + 4 \times 2 + 6 \times 4 = 88 \ (cm^2)$

방법2 (한 꼭짓점에서 만나는 세 면의 넓이의 2배의 합)

$= ㉠ \times 2 + ㉡ \times 2 + ㉢ \times 2$

$= 6 \times 4 \times 2 + 6 \times 2 \times 2 + 4 \times 2 \times 2$

$= 48 + 24 + 16 = 88 \ (cm^2)$

직육면체에는 합동인 면이 3쌍 있어요.

방법3 (한 꼭짓점에서 만나는 세 면의 넓이의 합) × 2

$= (㉠ + ㉡ + ㉢) \times 2 = (6 \times 4 + 6 \times 2 + 4 \times 2) \times 2 = 88 \ (cm^2)$

방법4 (한 밑면의 넓이) × 2 + (옆면의 넓이)

$= ㉠ \times 2 + (㉤ + ㉡ + ㉢ + ㉣) = 6 \times 4 \times 2 + (4 + 6 + 4 + 6) \times 2 = 88 \ (cm^2)$

개념 **7** 정육면체의 겉넓이 구하기

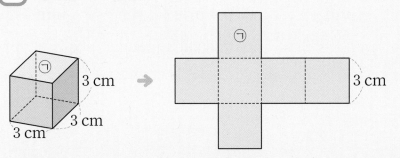

정육면체는 정사각형 6개로 둘러싸인 도형이므로 모든 면의 넓이는 정사각형의 넓이와 같습니다.

(정육면체의 겉넓이) = (한 면의 넓이) × 6

= (한 모서리의 길이) × (한 모서리의 길이) × 6

$= 3 \times 3 \times 6 = 54 \ (cm^2)$

주의 한 모서리의 길이가 ■인 정육면체의 겉넓이를 구할 때 ■×■×■로 계산하여 틀리는 경우가 있습니다. ➡ 부피는 ■×■×■, 겉넓이는 ■×■×6을 기억하세요.

6-1 오른쪽 직육면체의 겉넓이를 2가지 방법으로 구하려고 합니다. ☐ 안
에 알맞은 수를 써넣으세요.

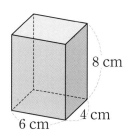

8 cm
4 cm
6 cm

(1) (한 꼭짓점에서 만나는 세 면의 넓이의 합)×2

$= (6 × \boxed{} + \boxed{} × \boxed{} + \boxed{} × \boxed{}) × 2$

$= (\boxed{} + \boxed{} + \boxed{}) × 2 = \boxed{} \ (cm^2)$

(2) (한 밑면의 넓이)×2＋(옆면의 넓이)

$= 6 × \boxed{} × \boxed{} + (6 + 4 + \boxed{} + \boxed{}) × \boxed{}$

$= \boxed{} + \boxed{} = \boxed{} \ (cm^2)$

6-2 직육면체의 겉넓이는 몇 cm^2일까요?

(1)

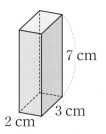

7 cm
3 cm
2 cm

(   )

(2)

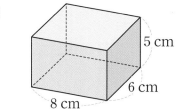

5 cm
6 cm
8 cm

(   )

7 정육면체의 겉넓이는 몇 cm^2일까요?

(1)

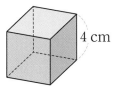

4 cm

(   )

(2)

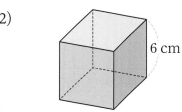

6 cm

(   )

교과서 개념 스토리 상자에 든 물건 찾기

직육면체와 정육면체 모양의 각 상자에는 상자의 부피가 적혀 있는 피규어가 들어 있습니다. 각 상자에서 꺼낸 피규어 붙임딱지를 붙여 보세요.

피규어 SALE

준비물 ◀ 붙임딱지

직육면체 모양의 각 상자에는 상자의 부피가 적혀 있는 휴대폰이 들어 있습니다. 각 상자에서 꺼낸 휴대폰 붙임딱지를 붙여 보세요.

휴대폰SALE

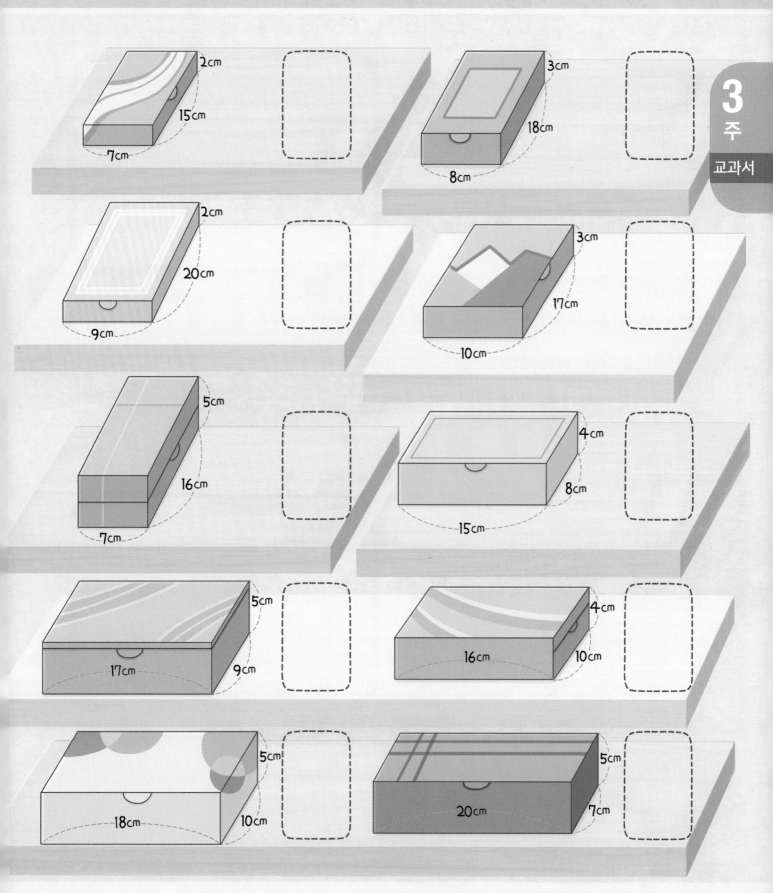

준비물 붙임딱지

도형 붙임딱지를 이어 붙여 직육면체의 전개도를 만들고, 그 전개도를 접어서 만든 직육면체의 겉넓이를 서로 다른 2가지 방법으로 구해 보세요. (단, 붙임딱지를 돌려서 붙여도 됩니다.)

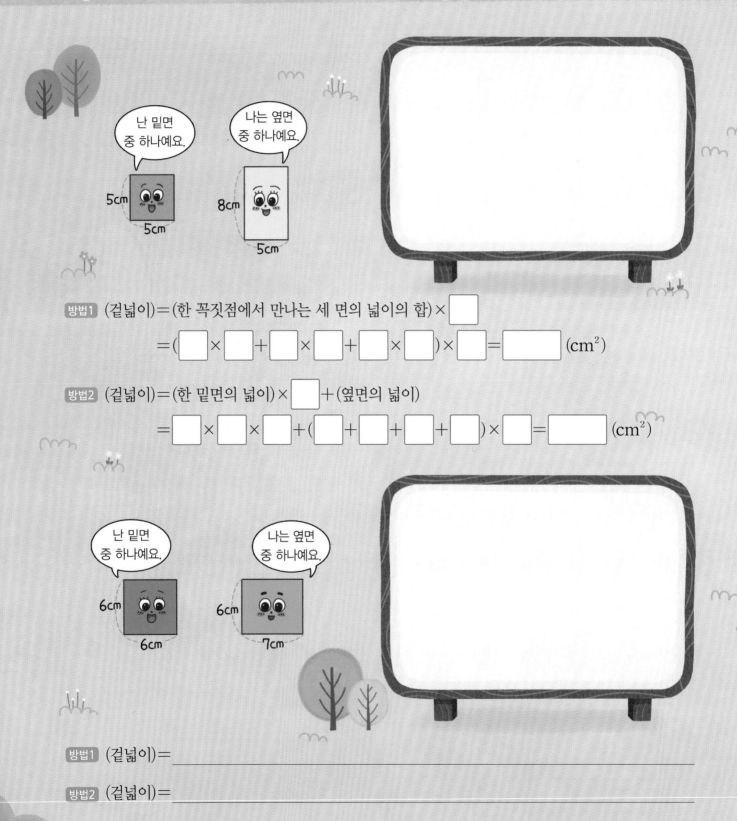

난 밑면 중 하나예요.

5cm
5cm

나는 옆면 중 하나예요.

8cm
5cm

방법1 (겉넓이)=(한 꼭짓점에서 만나는 세 면의 넓이의 합)× ☐

= (☐ × ☐ + ☐ × ☐ + ☐ × ☐) × ☐ = ☐ (cm²)

방법2 (겉넓이)=(한 밑면의 넓이)× ☐ +(옆면의 넓이)

= ☐ × ☐ × ☐ +(☐ + ☐ + ☐ + ☐)× ☐ = ☐ (cm²)

난 밑면 중 하나예요.

6cm
6cm

나는 옆면 중 하나예요.

6cm
7cm

방법1 (겉넓이)=_____

방법2 (겉넓이)=_____

방법1 (겉넓이) = _____

방법2 (겉넓이) = _____

도형 붙임딱지를 이어 붙여 정육면체의 전개도를 각각 다르게 만들고, 그 전개도를 접어서 만든 정육면체의 겉넓이를 구해 보세요.

➡ (겉넓이) = _____   ➡ (겉넓이) = _____

개념 **1** 직육면체의 부피를 비교하기

01 부피가 큰 직육면체부터 차례로 기호를 써 보세요.

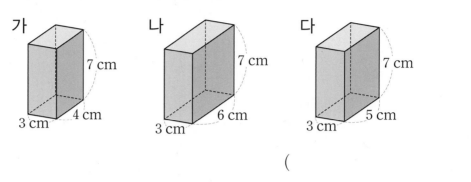

(   )

02 크기가 같은 쌓기나무를 사용하여 직육면체 모양을 만들었습니다. 두 직육면체의 부피를 비교하여 ○ 안에 >, =, <를 알맞게 써넣으세요.

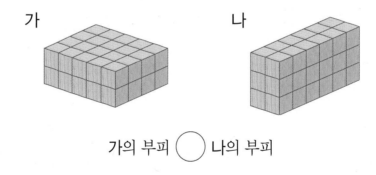

가의 부피 ◯ 나의 부피

03 직육면체 모양의 세 상자에 크기가 같은 쌓기나무를 담아 부피를 비교하려고 합니다. 부피가 가장 큰 상자의 기호를 써 보세요.

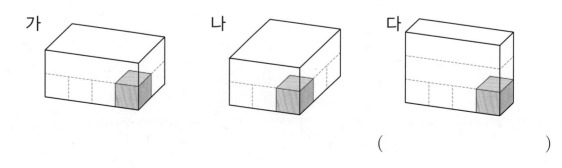

(   )

개념 2 1 m³와 1 cm³의 관계 알아보기

04 부피가 1 cm³인 쌓기나무를 쌓아 한 모서리의 길이가 1 m인 정육면체를 만들려고 합니다. 필요한 쌓기나무의 수로 알맞은 것에 ○표 하세요.

10000개	100000개	1000000개
( )	( )	( )

05 부피를 비교하여 ○ 안에 >, =, <를 알맞게 써넣으세요.

(1) 5000000 cm³ ◯ 5 m³

(2) 0.7 m³ ◯ 6000000 cm³

06 큰 부피를 말한 사람부터 차례로 이름을 써 보세요.

3.5 m³ 예지

3000000 cm³ 준우

10 m³ 윤하

(   )

개념3 직육면체의 부피 구하기

07 혜미는 가로가 7 cm, 세로가 5 cm, 높이가 3 cm인 직육면체 모양의 과자 상자를 샀습니다. 혜미가 산 과자 상자의 부피는 몇 cm³인지 식을 쓰고 답을 구해 보세요.

식 _____

답 _____

08 직육면체에 한 면의 넓이를 나타낸 것입니다. 직육면체의 부피는 몇 cm³일까요?

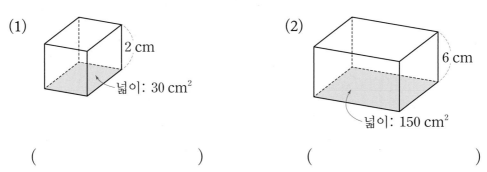

(1) 2 cm, 넓이: 30 cm²

(2) 6 cm, 넓이: 150 cm²

(   )   (   )

09 직육면체의 부피는 몇 m³일까요?

(1)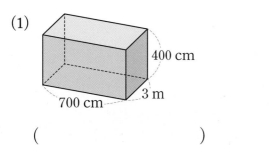

400 cm, 700 cm, 3 m

(   )

(2)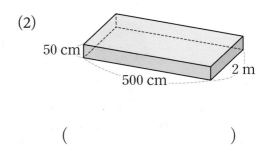

50 cm, 500 cm, 2 m

(   )

개념 4 정육면체의 부피 구하기

10 어느 정육면체의 한 면을 나타낸 것입니다. 이 정육면체의 부피는 몇 cm^3일까요?

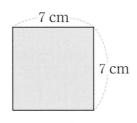

(   )

11 그림과 같은 정육면체 모양 선물 상자의 부피를 주어진 단위로 각각 나타내어 보세요.

(   ) cm^3
(   ) m^3

12 그림과 같은 전개도로 만든 정육면체의 부피는 몇 cm^3일까요?

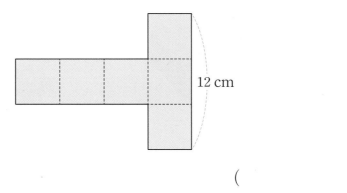

(   )

개념 5 직육면체의 겉넓이 구하기

13 다음과 같은 직육면체의 겉넓이는 몇 cm²일까요?

> 가로가 10 cm, 세로가 5 cm, 높이가 9 cm인 직육면체

( )

14 전개도로 만든 직육면체의 겉넓이는 몇 cm²일까요?

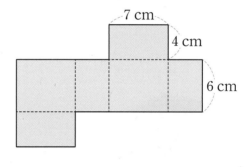

( )

15 은주와 현서가 받은 선물 상자입니다. 누가 받은 선물 상자의 겉넓이가 몇 cm² 더 큰지 구해 보세요.

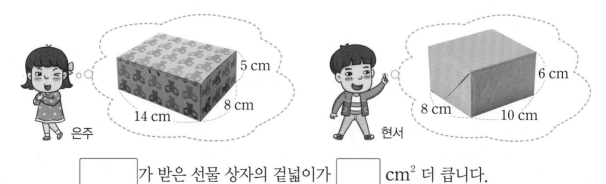

□ 가 받은 선물 상자의 겉넓이가 □ cm² 더 큽니다.

개념 6 정육면체의 겉넓이 구하기

16 한 모서리의 길이가 2 cm인 정육면체의 겉넓이는 몇 cm²일까요?

( )

17 정육면체에 한 면의 넓이를 나타낸 것입니다. 이 정육면체의 겉넓이는 몇 cm²일까요?

넓이: 16 cm²

( )

18 전개도로 만든 정육면체의 겉넓이는 몇 cm²일까요?

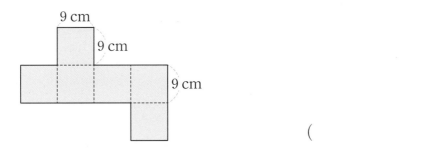

9 cm
9 cm
9 cm

( )

19 정육면체에서 색칠한 면의 둘레는 40 cm입니다. 이 정육면체의 겉넓이는 몇 cm²일까요?

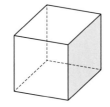

( )

⭐ **두 직육면체의 부피 비교하기**

1 직육면체 가와 나의 부피의 차를 구해 보세요.

가

7 cm
5 cm 3 cm

나

9 cm
10 cm 4 cm

답 _____

개념
피드백 ① (직육면체의 부피)＝(가로)×(세로)×(높이)

② 부피(■, ▲)를 비교하여 ■ ＞ ▲이면 부피의 차는 ■－▲입니다.

1-1 직육면체 가와 나의 부피가 같습니다. ☐ 안에 알맞은 수를 구해 보세요.

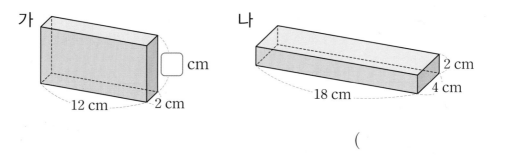

가

☐ cm
12 cm 2 cm

나

2 cm
18 cm 4 cm

( )

1-2 정육면체 가와 직육면체 나의 부피가 같습니다. ☐ 안에 알맞은 수를 구해 보세요.

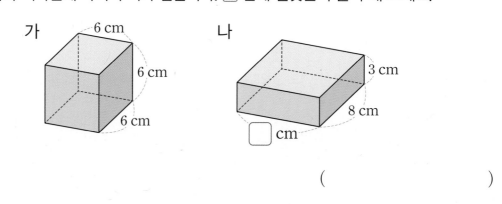

가

6 cm
6 cm
6 cm

나

3 cm
8 cm
☐ cm

( )

★ 잘라 만든 가장 큰 정육면체 알기

2 다음 직육면체를 잘라서 가장 큰 정육면체를 1개 만들었습니다. 만든 정육면체의 부피는 몇 cm^3일까요?

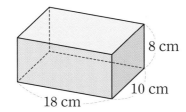

8 cm
10 cm
18 cm

답 _____

① 직육면체의 가장 짧은 모서리의 길이를 정육면체의 한 모서리의 길이가 되게 자릅니다.
② (정육면체의 부피)＝(한 모서리의 길이) × (한 모서리의 길이) × (한 모서리의 길이)

2-1 다음 직육면체를 잘라서 가장 큰 정육면체를 1개 만들었습니다. 만든 정육면체의 겉넓이는 몇 cm^2일까요?

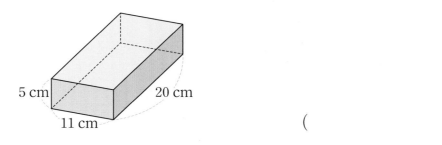

5 cm
20 cm
11 cm

(   )

2-2 다음 직육면체를 잘라서 만든 가장 큰 정육면체 1개의 부피는 27 cm^3입니다. 자르기 전 직육면체의 부피는 몇 cm^3일까요?

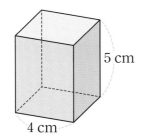

5 cm
4 cm

(   )

⭐ 직육면체의 부피로 겉넓이 구하기

3 직육면체의 부피는 192 cm³입니다. 이 직육면체의 겉넓이는 몇 cm²일까요?

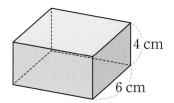

4 cm
6 cm

답 _____

3-1 다음과 같이 드론으로 배달하는 직육면체 모양 상자의 부피는 8800 cm³입니다. 이 상자의 겉넓이는 몇 cm²일까요?

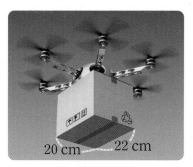

20 cm   22 cm

▲ 출처 ⓒmipan, shutterstock

(   )

3-2 직육면체의 부피는 126 cm³입니다. 이 직육면체의 겉넓이는 몇 cm²일까요?

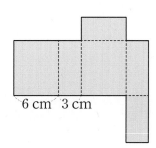

6 cm   3 cm

(   )

★ 정육면체의 겉넓이와 부피 구하기

4 정육면체의 겉넓이는 486 cm²입니다. 이 정육면체의 부피는 몇 cm³일까요?

답 _____

3
주

교과서

개념 피드백
① (정육면체의 겉넓이)=(한 모서리의 길이)×(한 모서리의 길이)×6
② (정육면체의 부피)=(한 모서리의 길이)×(한 모서리의 길이)×(한 모서리의 길이)

4-1 정육면체 모양 상자의 부피는 1000 cm³입니다. 이 상자의 겉넓이는 몇 cm²일까요?

(   )

4-2 정육면체에 한 면의 넓이를 나타낸 것입니다. 이 정육면체의 부피와 겉넓이를 각각 구해 보세요.

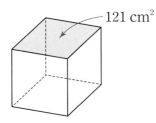

121 cm²

부피 (   )
겉넓이 (   )

★ 쌓기나무로 쌓은 입체도형의 부피 구하기

5 한 모서리의 길이가 3 cm인 쌓기나무를 사용하여 입체도형을 만들었습니다. 이 입체도형의 부피는 몇 cm³일까요?

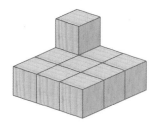

답 _____

개념 피드백
① (정육면체의 부피)＝(한 모서리의 길이)×(한 모서리의 길이)×(한 모서리의 길이)
② 부피가 ■ cm³인 쌓기나무를 ▲개 쌓아 만든 입체도형의 부피는 (■×▲) cm³입니다.

5-1 한 면의 넓이가 4 cm²인 쌓기나무를 사용하여 다음과 같이 쌓았습니다. 쌓은 입체도형의 부피는 몇 cm³일까요?

(   )

5-2 쌓기나무를 사용하여 다음과 같이 정육면체 모양의 입체도형을 만들었습니다. 입체도형의 부피가 64 cm³일 때, 쌓은 쌓기나무 한 개의 한 모서리의 길이는 몇 cm일까요?

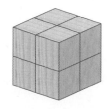

(   )

★ 쌓기나무로 쌓은 입체도형의 겉넓이 구하기

6 한 모서리의 길이가 2 cm인 쌓기나무 5개로 다음과 같이 쌓았습니다. 쌓은 입체도형의 겉넓이는 몇 cm²일까요?

답 _____

개념 피드백
① 쌓기나무 한 개의 한 면의 넓이를 구합니다.
② 입체도형에서 ①과 같은 면의 수를 세어 입체도형의 겉넓이를 구합니다.

6-1 한 모서리의 길이가 3 cm인 쌓기나무로 다음과 같이 쌓았습니다. 쌓은 입체도형의 겉넓이는 몇 cm²일까요?

(   )

6-2 한 개의 겉넓이가 150 cm²인 정육면체 모양 상자로 다음과 같이 직육면체 모양을 쌓았습니다. 쌓은 입체도형의 겉넓이는 몇 cm²일까요?

(   )

1 직육면체의 겉넓이는 600 cm²입니다. 이 직육면체의 높이는 몇 cm인지 구해 보세요.

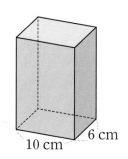

10 cm   6 cm

해결하기   높이를 ★ cm라고 하여 직육면체의 겉넓이 구하는 식을 쓰면

(☐ × ☐ + 6 × ★ + ☐ × ★) × ☐ = 600입니다.

따라서 (☐ + ☐ × ★) × 2 = 600, ☐ + ☐ × ★ = ☐ ,

☐ × ★ = ☐ , ★ = ☐ 입니다.

답 구하기 ☐

2 직육면체의 겉넓이는 184 cm²입니다. 이 직육면체의 세로는 몇 cm인지 구해 보세요.

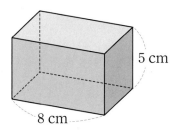

5 cm

8 cm

해결하기

답 구하기

3 직육면체와 정육면체의 부피는 같습니다. 정육면체의 한 모서리의 길이를 구해 보세요.

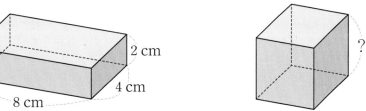

해결하기 (직육면체의 부피)= ☐ × ☐ × ☐ = ☐ (cm³)입니다.

정육면체의 한 모서리의 길이를 ● cm라고 하면

● × ● × ● = ☐ 이므로 ● = ☐ 입니다.

답 구하기 ☐

 4 직육면체와 정육면체의 부피는 같습니다. 정육면체의 한 모서리의 길이를 구해 보세요.

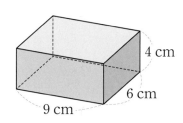 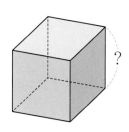

해결하기

답 구하기

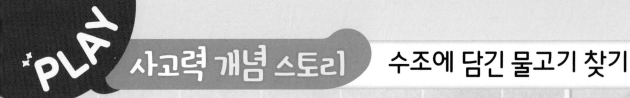
물이 담겨 있는 수조에 물고기를 넣었더니 물고기에 적혀 있는 부피만큼 물의 높이가 높아졌습니다.
알맞은 물고기 붙임딱지를 붙여 보세요. (단, 물고기는 여러 마리 붙일 수 있습니다.)

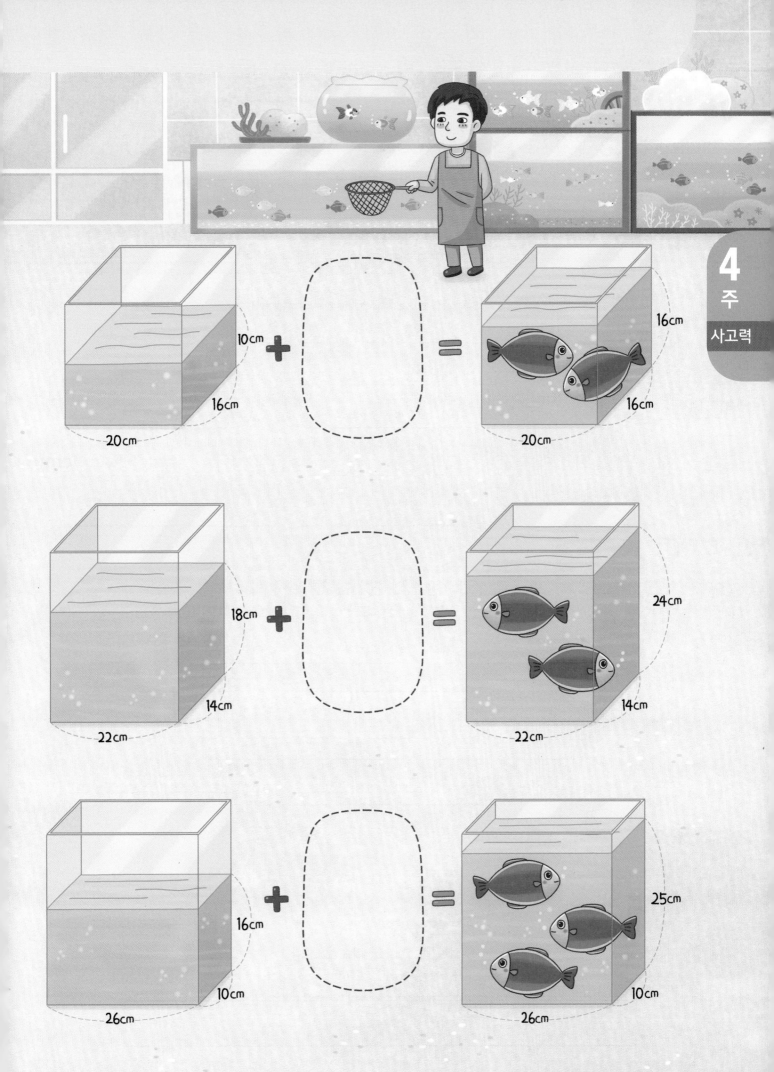

3D 프린터로 만든 입체 모양의 부피를 구하려고 합니다. 입체 모양 붙임딱지를 붙이고
☐ 안에 알맞은 수를 써넣어 입체 모양의 부피를 구해 보세요.

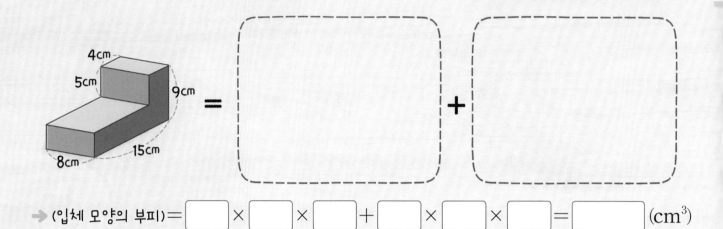

➡ (입체 모양의 부피) = ☐ × ☐ × ☐ + ☐ × ☐ × ☐ = ☐ (cm³)

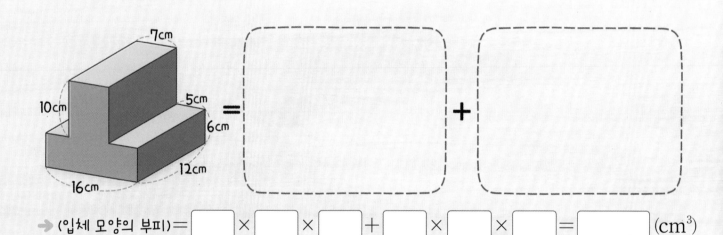

➡ (입체 모양의 부피) = ☐ × ☐ × ☐ + ☐ × ☐ × ☐ = ☐ (cm³)

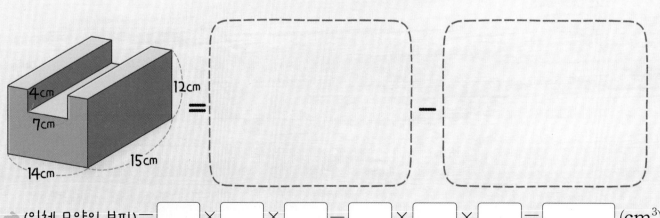

➡ (입체 모양의 부피) = ☐ × ☐ × ☐ − ☐ × ☐ × ☐ = ☐ (cm³)

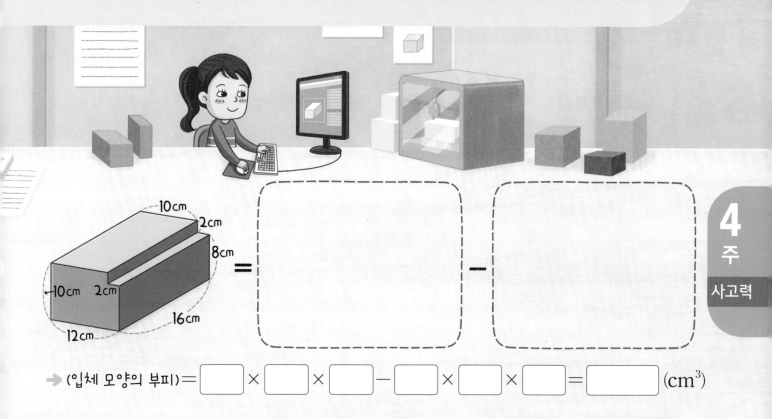

→ (입체 모양의 부피)= ☐ × ☐ × ☐ − ☐ × ☐ × ☐ = ☐ (cm³)

입체 모양의 부피를 덧셈과 뺄셈 중 어느 것으로 구할지 정하고 알맞은 붙임딱지(입체 모양, 덧셈, 뺄셈)를 붙인 후 식을 세워 부피를 구해 보세요.

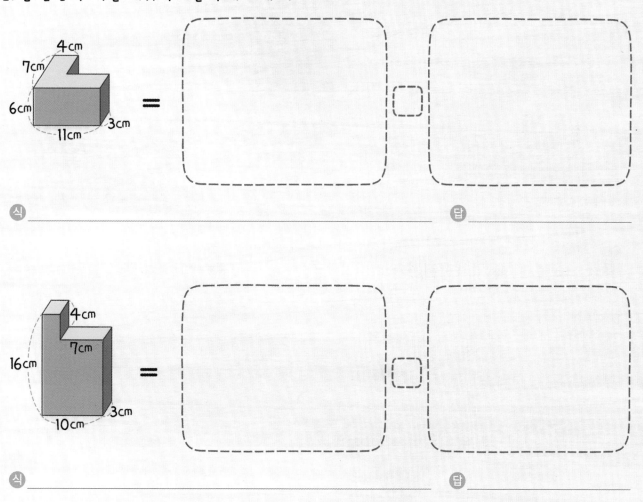

식 _____   답 _____

식 _____   답 _____

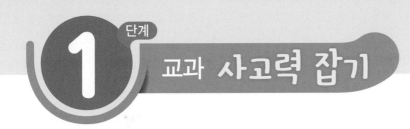

1

1 직육면체 모양 나무토막의 겉면에 물감을 묻혀 종이에 찍은 것입니다. 직육면체 모양 나무토막의 부피와 겉넓이를 각각 구해 보세요.

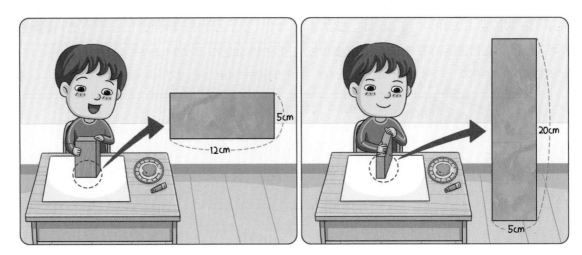

1 나무토막의 ☐ 안에 알맞은 수를 써넣으세요.

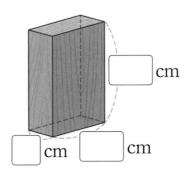

☐ cm

☐ cm ☐ cm

2 나무토막의 부피는 몇 cm³일까요?

(   )

3 나무토막의 겉넓이는 몇 cm²일까요?

(   )

2 그릇 가와 나는 직육면체 모양입니다. 그릇 가에 들어 있는 물을 그릇 나에 넘치지 않도록 가득 부어 모두 나누어 담으려고 합니다. 그릇 나는 적어도 몇 개 필요한지 구해 보세요. (단, 그릇의 두께는 생각하지 않습니다.)

가
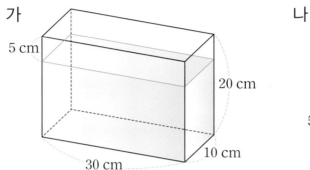

나
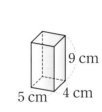

① 그릇 가에 들어 있는 물의 높이는 몇 cm일까요?

(   )

② 그릇 가에 들어 있는 물의 부피는 몇 cm^3일까요?

(   )

③ 그릇 나의 부피는 몇 cm^3일까요?

(   )

④ 그릇 가에 들어 있는 물을 그릇 나에 넘치지 않도록 가득 부어 모두 나누어 담으려면 그릇 나는 적어도 몇 개 필요할까요?

(   )

3 그림과 같이 직육면체 모양의 선물 상자에 길이가 1 m 50 cm인 리본으로 포장을 하였더니 9 cm가 남았습니다. 매듭을 묶는 데 사용한 리본이 25 cm일 때 이 선물 상자의 겉넓이를 구해 보세요. (단, 선물 상자의 포장지의 두께는 생각하지 않습니다.)

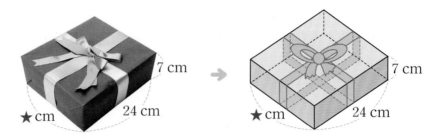

1️⃣ ☐ 안에 알맞은 수를 써넣으세요.

$$1 \text{ m } 50 \text{ cm} = \boxed{} \text{ cm}$$

2️⃣ 상자를 포장하는 데 사용한 리본의 길이는 몇 cm일까요?

(   )

3️⃣ 선물 상자의 겨냥도를 보고 ☐ 안에 알맞은 수를 써넣으세요.

리본이 지나간 자리를 보면 ★ cm인 곳은 2군데, 24 cm인 곳은 $\boxed{}$ 군데, 7 cm인 곳은 $\boxed{}$ 군데입니다.

4️⃣ 2️⃣와 3️⃣을 이용하여 ★를 구하려고 합니다. 식을 완성하고 ★를 구해 보세요.

상자를 포장하는 데 사용한 리본의 길이⌐

식 ★ × 2 + 24 × $\boxed{}$ + 7 × $\boxed{}$ + $\boxed{}$ = $\boxed{}$

매듭을 묶는 데 사용한 리본의 길이⌐

답 _____

5️⃣ 선물 상자의 겉넓이는 몇 cm²일까요?

(   )

4 예지가 말한 세 조건을 만족하는 직육면체의 부피를 구해 보세요.

예지

첫째, 직육면체의 가로는 세로보다 6 cm 더 깁니다.
둘째, 직육면체의 높이는 세로보다 2 cm 더 깁니다.
셋째, 직육면체의 모든 모서리의 길이의 합은 80 cm입니다.

❶ 직육면체의 세로를 ● cm라고 하면 가로와 높이는 각각 몇 cm인지 ●를 이용하여 식으로 나타내어 보세요.

가로 (   ) cm
높이 (   ) cm

❷ □ 안에 알맞은 수를 써넣으세요.

(직육면체의 모든 모서리의 길이의 합)＝(가로＋세로＋높이)× □

❸ ❶과 ❷를 이용하여 셋째 조건을 만족하는 직육면체의 세로(● cm)를 구하려고 합니다. 식을 쓰고 ●를 구해 보세요.

식 _____

답 _____

❹ 직육면체의 가로, 세로, 높이는 각각 몇 cm인지 수로 써 보세요.

가로 □ cm, 세로 □ cm, 높이 □ cm

❺ 직육면체의 부피는 몇 cm³일까요?

(   )

1 직육면체를 다음과 같이 늘이려고 합니다. ☐ 안에 알맞은 수를 써넣고 규칙을 찾아 완성해 보세요.

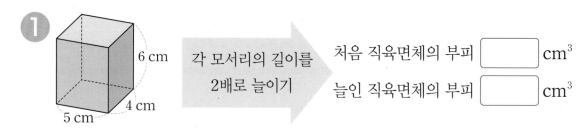

➡ 늘인 직육면체의 부피는 처음 직육면체의 부피의 ☐배입니다.

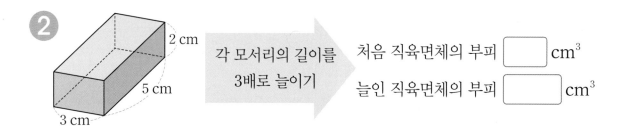

➡ 늘인 직육면체의 부피는 처음 직육면체의 부피의 ☐배입니다.

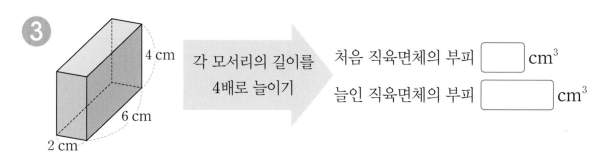

➡ 늘인 직육면체의 부피는 처음 직육면체의 부피의 ☐배입니다.

규칙 직육면체의 각 모서리의 길이를 ★배로 늘이면 늘인 직육면체의 부피는 처음 직육면체의 부피의 (☐×☐×☐)배입니다.

✂ 정답과 풀이 p.22

2 다음과 같이 정사각형 모양의 종이에 정육면체의 전개도를 그렸습니다. 이 전개도로 만든 정육면체의 부피와 겉넓이를 각각 구해 보세요.

4 주

사고력

❶

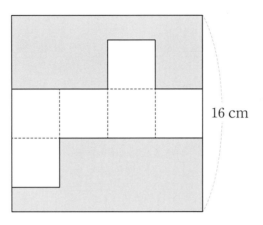

16 cm

부피 (   )

겉넓이 (   )

❷

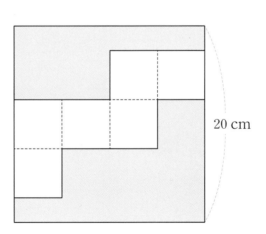

20 cm

부피 (   )

겉넓이 (   )

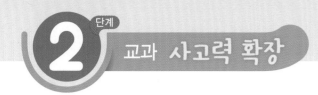

┌→ 서로 평행한 두 면이 합동인 다각형으로 이루어진 입체도형

3 선생님의 도움말을 보고 다음 각기둥의 부피를 구해 보세요.

그림은 크기와 모양이 같은 각기둥 모양의 빵을 2개 합쳐서 직육면체 모양을 만든 것입니다. 이때 각기둥 하나의 부피는 직육면체 부피의 반과 같습니다.

선생님

❶ 4 cm

16 cm

11 cm

(   )

❷ 3 cm

6 cm

10 cm

8 cm

(   )

4 그림은 직육면체 모양 나무토막의 밑면의 가운데에 직사각형 모양의 구멍을 뚫어 만든 입체도형입니다. 이 입체도형의 부피와 겉넓이를 각각 구해 보세요. (단, 구멍은 반대쪽 면을 통과하도록 뚫었습니다.)

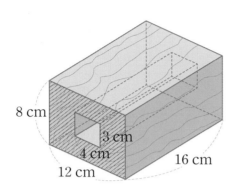

빗금 친 면을 밑면이라고 생각하여 문제를 해결해 봐요.

❶ 입체도형의 부피를 구하려고 합니다. 풀이 과정을 완성하고 답을 구해 보세요.

풀이 (입체도형의 부피)

= (큰 나무토막의 부피) − (뚫린 직육면체 모양의 부피)

_____

_____

_____

답 _____

❷ 입체도형의 겉넓이를 구하려고 합니다. 풀이 과정을 완성하고 답을 구해 보세요.

풀이 (입체도형의 겉넓이)

= (한 밑면의 넓이)×2 + (바깥쪽 옆면의 넓이) + _____

_____

_____

_____

답 _____

1 다음과 같이 물이 들어 있는 직육면체 모양의 수조에 돌을 완전히 잠기도록 넣었더니 물의 높이가 3 cm 높아졌습니다. 이 돌의 부피는 몇 cm³인지 구해 보세요.

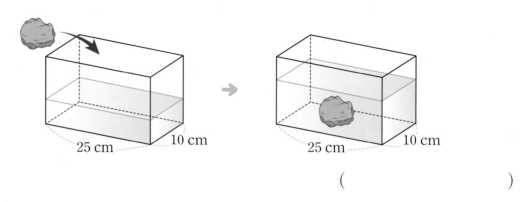

(   )

2 다음과 같이 쇠 구슬이 들어 있는 직육면체 모양의 수조에서 쇠 구슬을 꺼냈더니 물의 높이가 4 cm 낮아졌습니다. 이 쇠 구슬의 부피는 몇 cm³인지 구해 보세요.

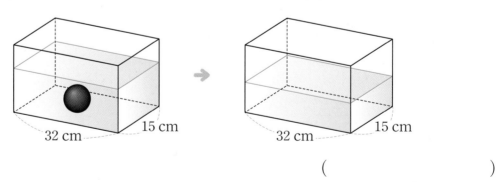

(   )

평가 영역 ☐개념 이해력 ☐개념 응용력 ☐창의력 ☑문제 해결력

3 부피가 8 cm^3인 나무블록을 규칙에 따라 정육면체 모양으로 쌓은 것입니다. 5번째 모양의 겉넓이는 몇 cm^2인지 구해 보세요.

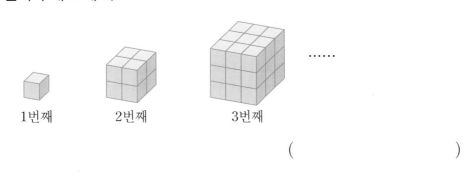

1번째   2번째   3번째

(   )

4

평가 영역 ☐개념 이해력 ☐개념 응용력 ☐창의력 ☑문제 해결력

4 부피가 27 cm^3인 쌓기나무를 규칙에 따라 쌓은 것입니다. 5번째 모양의 겉넓이는 몇 cm^2인지 구해 보세요.

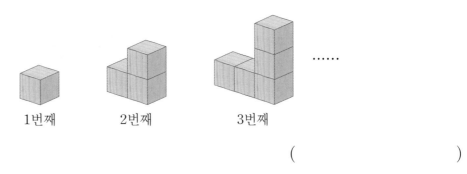

1번째   2번째   3번째

(   )

1 부피가 더 큰 직육면체의 기호를 써 보세요.

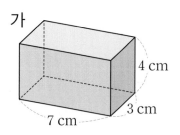
가

4 cm
3 cm
7 cm

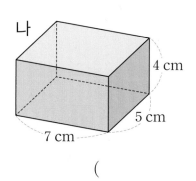
나

4 cm
5 cm
7 cm

(　　　　　　　　　　)

2 직육면체 모양의 세 상자에 크기가 같은 과자 상자를 담아 부피를 비교하려고 합니다. 부피가 큰 상자부터 차례로 기호를 써 보세요.

가 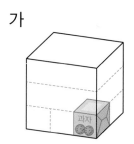　　　　나 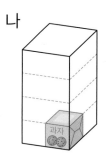　　　　다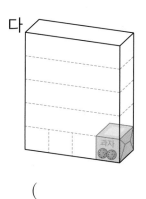

(　　　　　　　　　　)

3 ☐ 안에 알맞은 수를 써넣으세요.

(1) $9 \text{ m}^3 = $ ☐ cm^3　　　　(2) $0.7 \text{ m}^3 = $ ☐ cm^3

(3) $4000000 \text{ cm}^3 = $ ☐ m^3　　　　(4) $3260000 \text{ cm}^3 = $ ☐ m^3

4 직육면체 가와 정육면체 나의 부피의 차는 몇 cm^3일까요?

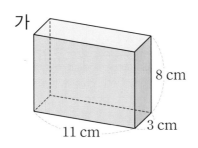

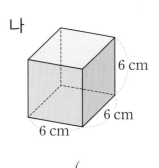

( )

5 직육면체의 부피는 몇 m^3인지 구해 보세요.

(1)

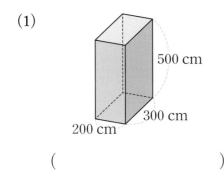

( )

(2)

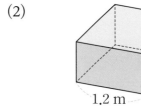

( )

6 다음 전개도로 만든 직육면체의 부피와 겉넓이를 각각 구해 보세요.

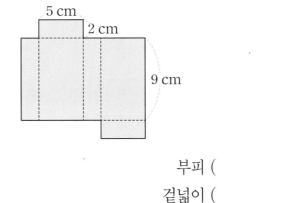

부피 ( )

겉넓이 ( )

7 정육면체의 전개도에서 색칠한 부분의 넓이는 49 cm²입니다. 이 전개도로 만든 정육면체의 부피는 몇 cm³일까요?

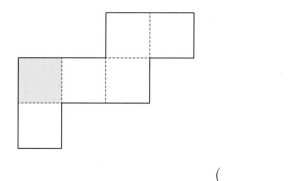

(   )

8 그림과 같은 직육면체 모양의 카스텔라를 잘라서 정육면체 모양으로 만들려고 합니다. 만들 수 있는 가장 큰 정육면체 모양의 부피는 몇 cm³인지 구해 보세요.

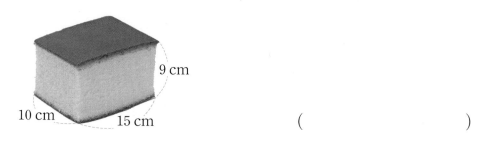

9 cm

10 cm   15 cm

(   )

9 어느 직육면체의 밑면은 넓이가 25 cm²인 정사각형이고, 높이는 7 cm입니다. 이 직육면체의 겉넓이는 몇 cm²인지 구해 보세요.

(   )

10 다음과 같이 물이 들어 있는 직육면체 모양의 수조에 벽돌을 완전히 잠기도록 넣었더니 물의 높이가 4 cm 높아졌습니다. 이 벽돌의 부피는 몇 cm³일까요?

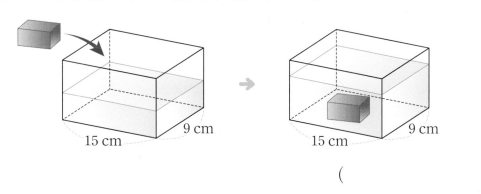

(   )

11 그림과 같은 직육면체 모양 무지개떡의 부피는 351 cm³입니다. 이 무지개떡의 겉넓이는 몇 cm²일까요?

(   )

12 입체도형의 부피는 몇 cm³일까요?

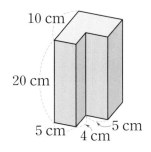

(   )

13 정육면체의 부피를 보고 정육면체의 겉넓이는 몇 cm²인지 구해 보세요.

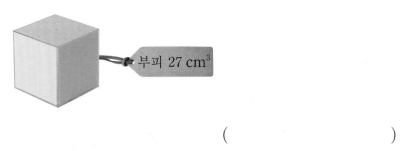

부피 27 cm³

(   )

14 직육면체 가의 겉넓이는 정육면체 나의 겉넓이와 같습니다. 정육면체 나의 ☐ 안에 알맞은 수를 구해 보세요.

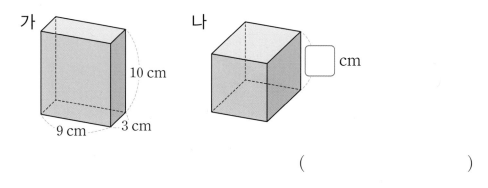

가   나

10 cm

9 cm   3 cm

☐ cm

(   )

15 한 모서리의 길이가 2 cm인 쌓기나무를 사용하여 다음과 같은 입체도형을 만들었습니다. 이 입체도형의 부피와 겉넓이를 각각 구해 보세요.

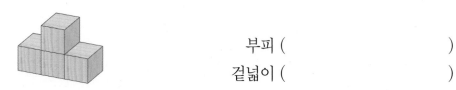

부피 (   )

겉넓이 (   )

1 재영이는 치즈를 쌓아 포장하는 방법에 대해 고민하고 있습니다. 물음에 답하세요.

(1) 정육면체 모양의 치즈 6개를 직육면체 모양으로 쌓는 방법은 2가지입니다. 직육면체 모양 2가지를 그리고 각 모양의 겉넓이를 구해 보세요. (단, 돌리거나 뒤집었을 때 같은 모양은 하나로 생각합니다.)

겉넓이 [ ] cm²   겉넓이 [ ] cm²

(2) 재영이의 고민을 듣고 윤하가 대답한 것입니다. 알맞은 말에 ○표 하고 [ ] 안에 알맞은 수를 써넣으세요.

윤하

직육면체 모양의 겉넓이가 (좁을수록 , 넓을수록) 포장지를 적게 사용하여 포장할 수 있습니다. 따라서 겉넓이가 가장 좁은 [ ] cm²인 직육면체 모양으로 쌓아 포장하면 됩니다.

Memo

14~15쪽

| 봄 (30 %) | 봄 (35 %) | 여름 (15 %) | 여름 (20 %) |

| 가을 (20 %) | 가을 (25 %) | 겨울 (25 %) | 겨울 (30 %) |

| A형 (20 %) | A형 (25 %) | B형 (30 %) | B형 (35 %) |

| O형 (15 %) | O형 (30 %) | AB형 (25 %) | AB형 (35 %) |

| 치킨 (30 %) | 치킨 (35 %) | 피자 (25 %) | 피자 (30 %) |

| 떡 (20 %) | 떡 (40 %) | 김밥 (15 %) | 김밥 (30 %) |

| 게임기 (25 %) | 게임기 (40 %) | 휴대 전화 (15 %) | 휴대 전화 (25 %) |

| 인형 (20 %) | 인형 (35 %) | 책 (15 %) | 책 (35 %) |

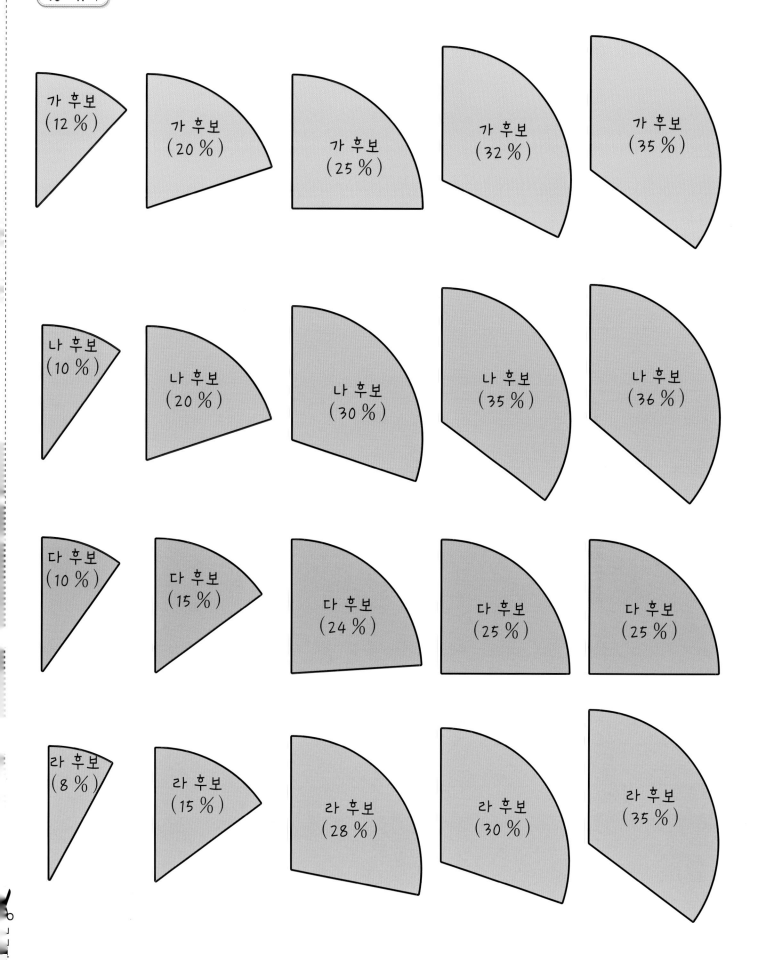

34~35쪽

야구 (10 %)	야구 (20 %)	야구 (20 %)	야구 (30 %)	야구 (35 %)

농구 (15 %)	농구 (15 %)	농구 (20 %)	농구 (25 %)	농구 (25 %)

기타 (5 %)	기타 (5 %)	기타 (10 %)	기타 (10 %)	기타 (20 %)	기타 (25 %)	기타 (30 %)

62~63쪽

5cm
5cm

8cm
5cm

6cm
6cm

6cm
7cm

7cm
6cm

5cm
6cm

5cm
7cm

7cm
7cm

8cm
8cm

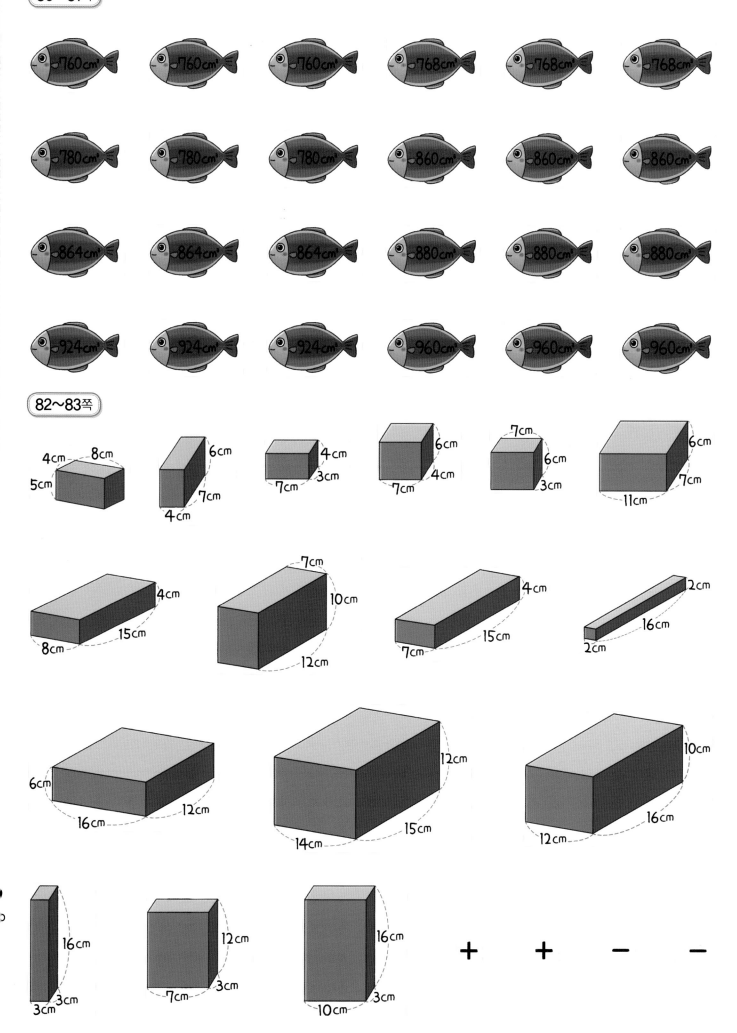

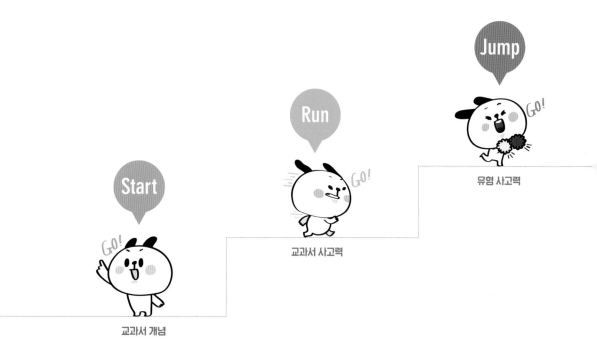

Start
교과서 개념

Run
교과서 사고력

Jump
유형 사고력

#난이도별
#천재되는_수학교재

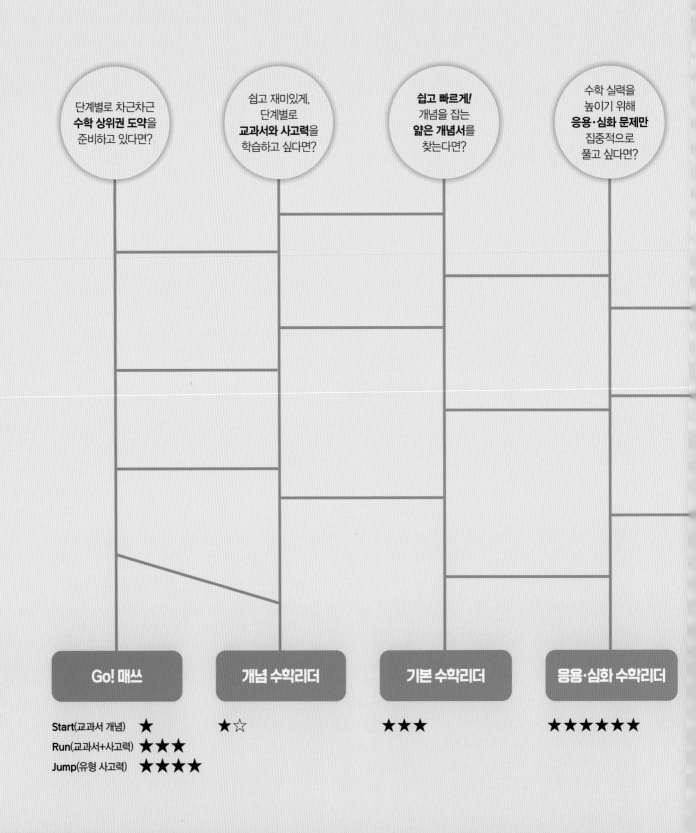

단계별로 차근차근
수학 상위권 도약을
준비하고 있다면?

쉽고 재미있게,
단계별로
교과서와 사고력을
학습하고 싶다면?

쉽고 빠르게!
개념을 잡는
얇은 개념서를
찾는다면?

수학 실력을
높이기 위해
응용·심화 문제만
집중적으로
풀고 싶다면?

Go! 매쓰

개념 수학리더

기본 수학리더

응용·심화 수학리더

Start(교과서 개념) ★
Run(교과서+사고력) ★★★
Jump(유형 사고력) ★★★★

★☆

★★★

★★★★★★

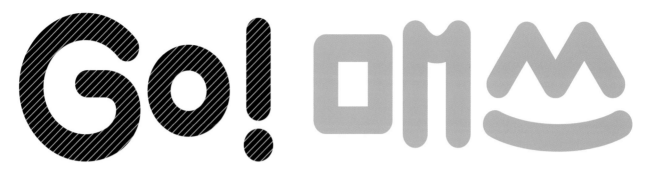

교과서 GO! 사고력 GO!

GO! 매쓰

Run-C
교과서 사고력

정답과 풀이　　수학 6-1

정답과 해설
포인트 2가지

▶ 선생님이나 학부모가 쉽게 문제와 풀이를 한눈에 볼 수 있어요.

▶ 자세한 활동 수업에 대한 팁이 가득하게 들어 있어요.

5 여러 가지 그래프

단원의 큰 흐름!
그래프 이야기를 살펴보아요.

알맞은 그래프

지우네 학교에서는 '재활용품 줄이기 행사'를 진행하였습니다. 많은 학생들이 적극적으로 참여해 준 덕분에 재활용품의 양이 많이 줄었습니다. 다음은 행사를 시작하기 전과 행사가 종료된 후의 재활용품의 양을 나타낸 표입니다.

행사 시작 전 재활용품별 배출량

종류	종이류	플라스틱류	병류	캔류
배출량(kg)	150	190	120	90

↓

행사 종료 후 재활용품별 배출량

종류	종이류	플라스틱류	병류	캔류
배출량(kg)	90	70	100	50

☆ 막대그래프

행사가 종료된 후에 어떤 재활용품의 양이 가장 많이 줄었는지 위의 2가지 표만 보아서는 한눈에 알아보기 어렵습니다. 이때 그래프를 이용하면 크고 작은 변화를 한눈에 알아볼 수 있습니다. 위 2가지 표를 하나의 막대그래프로 나타내어 보면 다음과 같습니다.

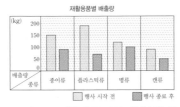

재활용품별 배출량

한눈에 보아도 가장 많이 배출량이 줄어든 재활용품은 플라스틱류라는 것을 알 수 있습니다.
그럼 이렇게 유용한 그래프의 종류에는 어떤 것들이 있고, 어떻게 그리면 되는지 함께 공부해 봅시다.

승기네 학교 학생들이 좋아하는 동물에 각자 붙임딱지를 한 장씩 붙인 것입니다. 그림을 보고 자료를 정리하여 보세요.

좋아하는 동물
강아지 / 고양이 / 햄스터 / 토끼

① 위 그림을 보고 표를 완성해 보세요.

좋아하는 동물별 학생 수

동물	강아지	고양이	햄스터	토끼	합계
학생 수(명)	15	12	18	10	55

✤ 각각의 동물에 붙어있는 붙임딱지의 수를 세어 봅니다.

② ①의 표를 보고 막대그래프로 나타내어 보세요.

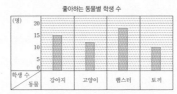

좋아하는 동물별 학생 수

✤ 세로 눈금 한 칸이 1명을 나타내므로 강아지는 15칸, 고양이는 12칸, 햄스터는 18칸, 토끼는 10칸이 되도록 막대를 그립니다.

③ ②의 막대그래프를 보고 가장 많은 학생이 좋아하는 동물을 찾아 써 보세요.

(**햄스터**)

✤ 길이가 가장 긴 막대를 찾으면 햄스터입니다.

1단계 교과서 개념 잡기

개념 1 그림그래프로 나타내기

• 그림그래프: 알려고 하는 수(조사한 수)를 그림으로 나타낸 그래프
📖 우리나라 권역별 초등학교 수를 그림그래프로 나타내고 내용 알아보기

권역별 초등학교 수
반올림하여 백의 자리까지 나타낸 값

권역	학교 수(개)	어림값(개)	권역	학교 수(개)	어림값(개)
서울·인천·경기	2113	2100	강원	351	400
대전·세종·충청	862	900	대구·부산·울산·경상	1623	1600
광주·전라	1002	1000	제주	113	100

(출처: 초등학교 개황, 국가 통계 포털, 2018.)

권역별 초등학교 수

(지도)
서울·인천·경기 / 강원
대전·세종·충청 / 대구·부산·울산·경상
광주·전라
제주

🏫 1000개
🏫 100개

〈그림그래프를 보고 알 수 있는 내용〉
• 🏫은 1000개, 🏫은 100개를 나타냅니다.
• 초등학교 수가 가장 많은 권역은 서울·인천·경기입니다.
• 초등학교 수가 가장 적은 권역은 제주입니다.
• 초등학교 수가 두 번째로 적은 권역은 강원입니다.
• 대전·세종·충청의 초등학교 수는 제주의 초등학교 수의 9배입니다.

〈그림그래프를 나타낼 때 생각할 것〉
• 그림을 몇 가지로 정할 것인지 생각합니다.
• 어떤 그림으로 나타낼지 생각합니다.
• 그림으로 정할 단위는 어떻게 할 것인지 생각합니다.

〈표와 그림그래프의 차이점〉
• 자료를 표로 나타내면 정확한 수치를 알 수 있습니다.
• 자료를 그림그래프로 나타내면 많고 적음을 쉽게 파악할 수 있습니다.

〈자료를 그림그래프로 나타내면 좋은 점〉
• 어느 항목이 많고 적은지를 한눈에 알 수 있습니다.
• 그림의 크기로 많고 적음을 알 수 있습니다.
• 그림그래프는 복잡한 자료를 간단하게 보여 줍니다.

개념 확인 문제

정답과 풀이 p.1

1 어느 지역의 과수원별 사과 생산량을 조사하여 나타낸 표와 그림그래프입니다. 물음에 답하세요.

과수원별 사과 생산량

과수원	가	나	다	라
생산량(t)	230	310	420	270

과수원별 사과 생산량

과수원	생산량
가	🍎🍎🍎 🍏🍏🍏
나	🍎🍎🍎 🍏
다	🍎🍎🍎🍎 🍏🍏
라	🍎🍎 🍏🍏🍏🍏🍏🍏🍏

🍎 100 t 🍏 10 t

(1) 그림그래프를 보고 표의 빈칸에 알맞은 수를 써넣으세요.

✤ • 나: 100 t 그림이 3개, 10 t 그림이 1개이므로 310 t입니다.
  • 라: 100 t 그림이 2개, 10 t 그림이 7개이므로 270 t입니다.

(2) □ 안에 알맞은 수를 써넣으세요.

🍎은 100 t, 🍏은 10 t을 나타낸다고 할 때 가 과수원의 생산량은 🍎 **2** 개, 🍏 **3** 개로 나타냅니다.

(3) 표를 보고 그림그래프를 완성해 보세요.

✤ • 가: 230 t ⇨ 100 t 그림 2개, 10 t 그림 3개로 나타냅니다.
  • 다: 420 t ⇨ 100 t 그림 4개, 10 t 그림 2개로 나타냅니다.

(4) 생산량이 많은 과수원부터 차례로 기호를 써 보세요.

(**다, 나, 라, 가**)

✤ 100 t 그림의 수부터 비교하고, 100 t 그림의 수가 같으면 10 t 그림의 수를 비교합니다.

1단계 교과서 개념 잡기

개념 2 띠그래프 그리고 해석하기

• 띠그래프: 전체에 대한 각 부분의 비율을 띠 모양에 나타낸 그래프

예 좋아하는 과목별 학생 수를 띠그래프로 나타내고 내용 알아보기

좋아하는 과목별 학생 수

과목	국어	과학	수학	기타	합계
학생 수(명)	10	7	6	2	25

① 자료를 보고 각 항목의 백분율을 구합니다.

국어: $\frac{10}{25} \times 100 = 40$ (%), 과학: $\frac{7}{25} \times 100 = 28$ (%),

수학: $\frac{6}{25} \times 100 = 24$ (%), 기타: $\frac{2}{25} \times 100 = 8$ (%)

② 각 항목의 백분율의 합계가 100 %가 되는지 확인합니다.

(국어)+(과학)+(수학)+(기타)=40+28+24+8=100 (%)

③ 각 항목이 차지하는 백분율의 크기만큼 선을 그어 띠를 나눕니다.

④ 나눈 부분에 각 항목의 내용과 백분율을 씁니다.

⑤ 띠그래프의 제목을 씁니다.

좋아하는 과목별 학생 수

```
0   10   20   30   40   50   60   70   80   90   100(%)
|  국어   |      과학     |      수학      |
| (40 %) |    (28 %)    |    (24 %)     |  기타(8 %)
```

〈띠그래프를 보고 알 수 있는 내용〉

• 국어를 좋아하는 학생이 가장 많습니다.
• 수학의 백분율은 기타의 백분율의 3배입니다.
• 기타를 제외하면 수학의 백분율이 가장 적습니다.
➡ 각 항목끼리의 백분율을 쉽게 비교할 수 있습니다.

〈띠그래프의 특징〉

• 띠그래프에 표시된 눈금은 백분율을 나타냅니다.
• 띠그래프의 작은 눈금 한 칸은 1 %를 나타냅니다.

개념 확인 문제

2 학급 도서관에 있는 책의 종류를 조사하여 나타낸 표입니다. 물음에 답하세요.

책의 종류별 권수

종류	위인전	동화책	과학책	시집	합계
권수(권)	20	15	10	5	50

(1) 전체 권수에 대한 책의 종류별 권수의 백분율을 구해 보세요.

• 위인전: $\frac{20}{50} \times 100 = \boxed{40}$ (%)   • 동화책: $\frac{15}{50} \times 100 = \boxed{30}$ (%)

• 과학책: $\frac{10}{50} \times 100 = \boxed{20}$ (%)   • 시집: $\frac{5}{50} \times 100 = \boxed{10}$ (%)

✤ (백분율) $= \frac{(책의 종류별 권수)}{(전체 권수)} \times 100$

(2) 각 항목의 백분율을 모두 더하면 얼마인지 □ 안에 알맞은 수를 써넣으세요.

$\boxed{40} + \boxed{30} + \boxed{20} + \boxed{10} = \boxed{100}$ (%)

✤ 각 항목의 백분율을 모두 더하면 100 %가 되어야 합니다.

(3) (1)에서 구한 백분율을 이용하여 띠그래프를 완성해 보세요.

책의 종류별 권수

```
0   10   20   30   40   50   60   70   80   90   100(%)
|    위인전    |     동화책     | 과학책 | 시집 |
|   (40 %)   |    (30 %)    |(20 %)|(10 %)|
```

✤ 각 항목이 차지하는 백분율의 크기만큼 선을 그어 띠를 나누고 나눈 부분에 각 항목의 내용과 백분율을 씁니다.

(4) 학급 도서관에 가장 많이 있는 책을 찾아 써 보세요.

(**위인전**)

✤ 띠그래프에서 길이가 가장 긴 부분을 찾으면 위인전입니다.

(5) 학급 도서관에 가장 적게 있는 책을 찾아 써 보세요.

(**시집**)

✤ 띠그래프에서 길이가 가장 짧은 부분을 찾으면 시집입니다.

1단계 교과서 개념 잡기

개념 3 원그래프 그리고 해석하기

• 원그래프: 전체에 대한 각 부분의 비율을 원 모양에 나타낸 그래프

예 좋아하는 계절별 학생 수를 원그래프로 나타내고 내용 알아보기

좋아하는 계절별 학생 수

계절	봄	여름	가을	겨울	합계
학생 수(명)	12	6	3	9	30

① 자료를 보고 각 항목의 백분율을 구합니다.

봄: $\frac{12}{30} \times 100 = 40$ (%), 여름: $\frac{6}{30} \times 100 = 20$ (%),

가을: $\frac{3}{30} \times 100 = 10$ (%), 겨울: $\frac{9}{30} \times 100 = 30$ (%)

② 각 항목의 백분율의 합계가 100 %가 되는지 확인합니다.

(봄)+(여름)+(가을)+(겨울)=40+20+10+30=100 (%)

③ 각 항목이 차지하는 백분율의 크기만큼 선을 그어 원을 나눕니다.

④ 나눈 부분에 각 항목의 내용과 백분율을 씁니다.

⑤ 원그래프의 제목을 씁니다.

좋아하는 계절별 학생 수

〈원그래프를 보고 알 수 있는 내용〉

• 봄을 좋아하는 학생이 가장 많습니다.
• 가을을 좋아하는 학생이 가장 적습니다.
• 봄의 백분율은 여름의 백분율의 2배입니다.
➡ 각 항목끼리의 백분율을 쉽게 비교할 수 있습니다.

〈원그래프와 띠그래프의 공통점〉

• 둘 다 비율그래프입니다.
• 전체를 100 %로 하여 전체에 대한 각 부분의 비율을 알기 편합니다.

〈원그래프와 띠그래프의 차이점〉

• 띠그래프는 가로를 100등분 하여 띠 모양으로 그린 것입니다.
• 원그래프는 원의 중심을 100등분 하여 원 모양으로 그린 것입니다.

개념 확인 문제

3 영주네 학교 학생들이 현장체험을 가고 싶은 장소를 조사하여 나타낸 표입니다. 물음에 답하세요.

가고 싶은 장소별 학생 수

장소	놀이공원	박물관	경복궁	동물원	합계
학생 수(명)	160	100	80	60	400

(1) 전체 학생 수에 대한 가고 싶은 장소별 학생 수의 백분율을 구해 보세요.

• 놀이공원: $\frac{160}{400} \times 100 = \boxed{40}$ (%)   • 박물관: $\frac{100}{400} \times 100 = \boxed{25}$ (%)

• 경복궁: $\frac{80}{400} \times 100 = \boxed{20}$ (%)   • 동물원: $\frac{60}{400} \times 100 = \boxed{15}$ (%)

✤ (백분율) $= \frac{(가고 싶은 장소별 학생 수)}{(전체 학생 수)} \times 100$

(2) 각 항목의 백분율을 모두 더하면 얼마인지 □ 안에 알맞은 수를 써넣으세요.

$\boxed{40} + \boxed{25} + \boxed{20} + \boxed{15} = \boxed{100}$ (%)

✤ 각 항목의 백분율을 모두 더하면 100 %가 되어야 합니다.

(3) (1)에서 구한 백분율을 이용하여 원그래프를 완성해 보세요.

가고 싶은 장소별 학생 수

```
        동물원          0
       (15 %)      놀이공원
    75              (40 %)  25
  경복궁
  (20 %)          여름
            50   박물관(25 %)
```

✤ 각 항목이 차지하는 백분율의 크기만큼 선을 그어 원을 나누고 나눈 부분에 각 항목의 내용과 백분율을 씁니다.

(4) 가장 많은 학생이 가고 싶은 장소를 찾아 써 보세요.

(**놀이공원**)

✤ 원그래프에서 넓이가 가장 넓은 부분을 찾으면 놀이공원입니다.

(5) 가장 적은 학생이 가고 싶은 장소를 찾아 써 보세요.

(**동물원**)

✤ 원그래프에서 넓이가 가장 좁은 부분을 찾으면 동물원입니다.

1단계 교과서 개념 잡기

개념 4 여러 가지 그래프 비교해 보기

그림그래프

◀ 출처 ©PixMarket, shutterstock

- 알려고 하는 수(조사한 수)를 그림으로 나타낸 그래프입니다.
- 그림의 크기와 수로 수량의 많고 적음을 쉽게 알 수 있습니다.
- 자료에 따라 상징적인 그림을 사용할 수 있어서 재미있게 나타낼 수 있습니다.

막대그래프

- 조사한 자료를 막대 모양으로 나타낸 그래프입니다.
- 자료의 크기를 한눈에 쉽게 비교할 수 있습니다.

꺾은선그래프

- 수량을 점으로 표시하고, 그 점들을 선분으로 이어 그린 그래프입니다.
- 자료의 변화하는 정도를 알아보기 쉽습니다.
- 조사하지 않은 자료의 값을 예상할 수 있습니다.

띠그래프 , 원그래프

- 전체에 대한 각 부분의 비율을 띠 모양 또는 원 모양에 나타낸 그래프입니다.
- 전체에 대한 각 부분의 비율을 한눈에 알아보기 쉽습니다.
- 각 항목끼리의 비율을 쉽게 비교할 수 있습니다.

〈자료를 그래프로 나타낼 때 알맞은 그래프〉
- 항목의 크기를 비교할 때 ⇨ 그림그래프, 막대그래프
- 시간에 따른 항목의 크기 변화를 알아볼 때 ⇨ 꺾은선그래프
- 항목의 비율을 비교할 때 ⇨ 띠그래프, 원그래프

자료	그래프
우리 반 친구들이 좋아하는 과목	그림그래프, 막대그래프, 띠그래프, 원그래프
내 몸무게의 월별 변화	꺾은선그래프
권역별 인구 수	그림그래프, 막대그래프, 띠그래프, 원그래프

12 · Run-C 6-1

개념 확인 문제

정답과 풀이 p.3

4 어느 지역의 과수원별 귤 생산량을 조사하여 나타낸 표입니다. 물음에 답하세요.

과수원별 귤 생산량

과수원	가	나	다	라	합계
생산량(t)	120	60	80	140	400

(1) 위 표를 보고 그림그래프로 나타내어 보세요.

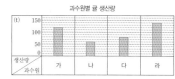

과수원별 귤 생산량

🥚 100 t 🥚 10 t

❖ • 가: 120 t ⇨ 100 t 그림 1개, 10 t 그림 2개로 나타냅니다.
- 나: 60 t ⇨ 10 t 그림 6개로 나타냅니다.
- 다: 80 t ⇨ 10 t 그림 8개로 나타냅니다.
- 라: 140 t ⇨ 100 t 그림 1개, 10 t 그림 4개로 나타냅니다.

(2) 위 표를 보고 막대그래프로 나타내어 보세요.

과수원별 귤 생산량

❖ 세로 눈금 한 칸이 10 t을 나타내므로 가는 12칸, 나는 6칸, 다는 8칸, 라는 14칸이 되도록 막대를 그립니다.

(3) 위 표를 보고 띠그래프로 나타내어 보세요.

과수원별 귤 생산량

가 (30 %)	나 (15 %)	다 (20 %)	라 (35 %)

❖ 가: $\frac{120}{400} \times 100 = 30$ (%), 나: $\frac{60}{400} \times 100 = 15$ (%),
다: $\frac{80}{400} \times 100 = 20$ (%), 라: $\frac{140}{400} \times 100 = 35$ (%)

각 항목이 차지하는 백분율의 크기만큼 선을 그어 띠를 나누고 나눈 부분에 각 항목의 내용과 백분율을 씁니다.

5. 여러 가지 그래프 · 13

PLAY 교과서 개념 스토리 — 띠그래프 완성하기

붙임딱지

표를 완성하고 각 항목과 백분율이 써 있는 띠그래프 조각 붙임딱지를 붙여 띠그래프를 완성해 보세요.

❖ 봄: $\frac{7}{20} \times 100 = 35$ (%), 여름: $\frac{3}{20} \times 100 = 15$ (%),

좋아하는 계절별 학생 수

계절	봄	여름	가을	겨울	합계
학생 수(명)	7	3	4	6	20
백분율(%)	**35**	**15**	**20**	**30**	**100**

봄 (35 %)	여름 (15 %)	가을 (20 %)	겨울 (30 %)

가을: $\frac{4}{20} \times 100 = 20$ (%), 겨울: $\frac{6}{20} \times 100 = 30$ (%)
합계: $35 + 15 + 20 + 30 = 100$ (%)

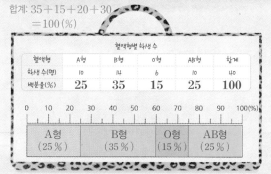

혈액형별 학생 수

혈액형	A형	B형	O형	AB형	합계
학생 수(명)	10	14	6	10	40
백분율(%)	**25**	**35**	**15**	**25**	**100**

A형 (25 %)	B형 (35 %)	O형 (15 %)	AB형 (25 %)

14 · Run-C 6-1 A형: $\frac{10}{40} \times 100 = 25$ (%), B형: $\frac{14}{40} \times 100 = 35$ (%),
O형: $\frac{6}{40} \times 100 = 15$ (%), AB형: $\frac{10}{40} \times 100 = 25$ (%)
합계: $25 + 35 + 15 + 25 = 100$ (%)

❖ 치킨: $\frac{21}{60} \times 100 = 35$ (%), 피자: $\frac{18}{60} \times 100 = 30$ (%),

좋아하는 간식별 학생 수

간식	치킨	피자	떡	김밥	합계
학생 수(명)	21	18	12	9	60
백분율(%)	**35**	**30**	**20**	**15**	**100**

치킨 (35 %)	피자 (30 %)	떡 (20 %)	김밥 (15 %)

떡: $\frac{12}{60} \times 100 = 20$ (%), 김밥: $\frac{9}{60} \times 100 = 15$ (%)
합계: $35 + 30 + 20 + 15 = 100$ (%)

받고 싶은 선물별 학생 수

선물	게임기	휴대 전화	인형	책	합계
학생 수(명)	32	20	16	12	80
백분율(%)	**40**	**25**	**20**	**15**	**100**

게임기 (40 %)	휴대 전화 (25 %)	인형 (20 %)	책 (15 %)

❖ 게임기: $\frac{32}{80} \times 100 = 40$ (%), 휴대 전화: $\frac{20}{80} \times 100 = 25$ (%),
인형: $\frac{16}{80} \times 100 = 20$ (%), 책: $\frac{12}{80} \times 100 = 15$ (%)
합계: $40 + 25 + 20 + 15 = 100$ (%)

5. 여러 가지 그래프 · 15

PLAY 교과서 개념 스토리   그래프 바꿔서 나타내기

주어진 조건 과 띠그래프를 보고 각 항목과 백분율이 써 있는 원그래프 조각 붙임딱지를 붙여 띠그래프를 원그래프로 바꿔 보세요.

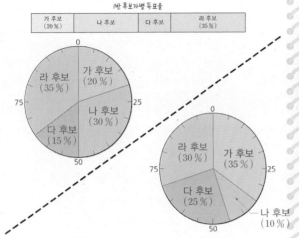

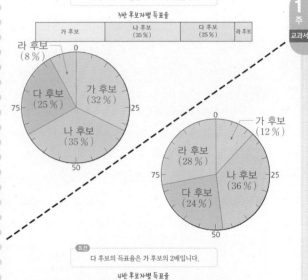

반별 회장 선거 득표율

조건
나 후보의 득표율은 다 후보의 2배입니다.

1반 후보자별 득표율

| 가 후보 (20 %) | 나 후보 | 다 후보 | 라 후보 (35 %) |

조건
가 후보의 득표율은 라 후보의 4배입니다.

3반 후보자별 득표율

| 가 후보 | 나 후보 (35 %) | 다 후보 (25 %) | 라 후보 |

조건
라 후보의 득표율은 나 후보의 3배입니다.

2반 후보자별 득표율

| 가 후보 (35 %) | 나 후보 | 다 후보 (25 %) | 라 후보 |

조건
다 후보의 득표율은 가 후보의 2배입니다.

4반 후보자별 득표율

| 가 후보 (36 %) | 나 후보 | 다 후보 | 라 후보 (28 %) |

✦ (나 후보와 라 후보의 백분율의 합)=100−35−25=40 (%)
나 후보의 백분율을 □ %라 하면 라 후보의 백분율은 (□×3) %이므로
□+□×3=40, □×4=40, □=10입니다.
따라서 나 후보는 10 %, 라 후보는 10×3=30 (%)입니다.

✦ (가 후보와 다 후보의 백분율의 합)=100−36−28=36 (%)
가 후보의 백분율을 □ %라 하면 다 후보의 백분율은 (□×2) %이므로
□+□×2=36, □×3=36, □=12입니다.
따라서 가 후보는 12 %, 다 후보는 12×2=24 (%)입니다.

16 · Run- C 6-1

5. 여러 가지 그래프 · 17

---

2 단계 교과서 개념 다지기

✦ (백분율)= $\dfrac{(좋아하는 과일별 학생 수)}{(전체 학생 수)}$ ×100

정답과 풀이 p.4

개념 1 띠그래프 알아보기

01 영재네 반 학생들이 받고 싶은 선물을 조사하여 나타낸 그래프입니다. 물음에 답하세요.

받고 싶은 선물별 학생 수

0 10 20 30 40 50 60 70 80 90 100(%)

| 게임기 (35 %) | 휴대 전화 (30 %) | 학용품 (25 %) | 기타 (10 %) |

(1) 위와 같이 전체에 대한 각 부분의 비율을 띠 모양에 나타낸 그래프를 무엇이라고 하는지 써 보세요.
✦ 전체에 대한 각 부분의 비율을 띠 모양에 (**띠그래프**) 나타낸 그래프를 띠그래프라고 합니다.

(2) 가장 많은 학생이 받고 싶은 선물을 찾아 써 보세요.
(**게임기**)
✦ 띠그래프에서 길이가 가장 긴 부분을 찾으면 게임기입니다.

02 정우네 학교 학생들이 좋아하는 음식을 조사하여 나타낸 띠그래프입니다. 물음에 답하세요.

좋아하는 음식별 학생 수

0 10 20 30 40 50 60 70 80 90 100(%)

| 햄버거 (45 %) | 치킨 (30 %) | 피자 (15 %) | 자장면 (10 %) |

(1) 가장 적은 학생이 좋아하는 음식은 무엇이고 이 음식은 전체의 몇 %인지 차례로 써 보세요.
✦ 띠그래프에서 길이가 (**자장면**).(**10 %**) 가장 짧은 부분을 찾으면 자장면이고 10 %입니다.

(2) 치킨을 좋아하는 학생 수는 피자를 좋아하는 학생 수의 몇 배인지 구해 보세요.
(**2배**)
✦ 치킨은 30 %, 피자는 15 %이므로 30÷15=2(배)입니다.

(3) 좋아하는 학생 수가 많은 음식부터 차례로 써 보세요.
(**햄버거, 치킨, 피자, 자장면**)
✦ 띠의 길이가 긴 음식부터 순서대로 씁니다.

개념 2 띠그래프 그리기

03 은주네 반 학생들이 좋아하는 과일을 조사하여 나타낸 표입니다. 물음에 답하세요.

좋아하는 과일별 학생 수

과일	사과	포도	감	배	합계
학생 수(명)	7	6	5	2	20

(1) 전체 학생 수에 대한 좋아하는 과일별 학생 수의 백분율을 구해 보세요.

• 사과: $\dfrac{7}{20}$ ×100= **35** (%)   • 포도: $\dfrac{6}{20}$ ×100= **30** (%)

• 감: $\dfrac{5}{20}$ ×100= **25** (%)   • 배: $\dfrac{2}{20}$ ×100= **10** (%)

(2) (1)에서 구한 백분율을 이용하여 띠그래프를 완성해 보세요.

좋아하는 과일별 학생 수

0 10 20 30 40 50 60 70 80 90 100(%)

| 사과 (35 %) | 포도 (30 %) | 감 (25 %) | 배 (10 %) |

04 현수네 학교 학생들이 가고 싶은 나라를 조사하여 나타낸 표입니다. 물음에 답하세요.

가고 싶은 나라별 학생 수

나라	미국	영국	호주	중국	기타	합계
학생 수(명)	105	75	60	45	15	300
백분율(%)	**35**	**25**	**20**	**15**	**5**	**100**

(1) 전체 학생 수에 대한 가고 싶은 나라별 학생 수의 백분율을 구하여 위 표를 완성해 보세요.

(2) 위 표를 보고 띠그래프를 완성해 보세요.

가고 싶은 나라별 학생 수

0 10 20 30 40 50 60 70 80 90 100(%)

| 미국 (35 %) | 영국 (25 %) | 호주 (20 %) | 중국 (15 %) | 기타 (5 %) |

✦ 미국: $\dfrac{105}{300}$ ×100=35 (%), 영국: $\dfrac{75}{300}$ ×100=25 (%),

호주: $\dfrac{60}{300}$ ×100=20 (%), 중국: $\dfrac{45}{300}$ ×100=15 (%),

기타: $\dfrac{15}{300}$ ×100=5 (%)

18 · Run- C 6-1

5. 여러 가지 그래프 · 19

2 단계 교과서 개념 다지기

정답과 풀이 p.5

개념 3 원그래프 알아보기

05 지우네 반 학생들이 태어난 계절을 조사하여 나타낸 원그래프입니다. 물음에 답하세요.

태어난 계절별 학생 수

(1) 가장 많은 학생이 태어난 계절은 무엇이고 이 계절은 전체의 몇 %인지 차례로 써 보세요.

❖ 원그래프에서 넓이가 (**겨울**). (**35 %**) 가장 넓은 부분을 찾으면 겨울이고 35 %입니다.

(2) 태어난 학생 수가 적은 계절부터 차례로 써 보세요.

(**봄, 가을, 여름, 겨울**)

❖ 넓이가 좁은 계절부터 순서대로 씁니다.

06 연후네 학교 학생들이 등교하는 방법을 조사하여 나타낸 원그래프입니다. 물음에 답하세요.

등교 방법별 학생 수

(1) 자전거로 등교하는 학생 수는 전철로 등교하는 학생 수의 몇 배인지 구해 보세요.

(**3배**)

❖ 자전거는 30 %, 전철은 10 %이므로 30÷10=3(배)입니다.

(2) 등교하는 학생 수가 버스의 2배인 등교 방법은 무엇인지 써 보세요.

(**도보**)

❖ 버스는 20 %이고 20×2=40 (%)입니다. 40 %인 등교 방법은 도보입니다.

20 · Run - C 6-1

개념 4 원그래프 그리기

07 현철이네 반 학생들이 배우고 싶은 악기를 조사하여 나타낸 표입니다. 물음에 답하세요.

배우고 싶은 악기별 학생 수

악기	피아노	플루트	바이올린	기타	합계
학생 수(명)	12	9	6	3	30

(1) 전체 학생 수에 대한 배우고 싶은 악기별 학생 수의 백분율을 구해 보세요.

- 피아노: $\frac{12}{30} \times 100 =$ **40** (%)
- 플루트: $\frac{9}{30} \times 100 =$ **30** (%)
- 바이올린: $\frac{6}{30} \times 100 =$ **20** (%)
- 기타: $\frac{3}{30} \times 100 =$ **10** (%)

(2) (1)에서 구한 백분율을 이용하여 원그래프를 완성해 보세요.

❖ 각 항목이 차지하는 백분율의 크기 만큼 선을 그어 원을 나누고 나눈 부분에 각 항목의 내용과 백분율을 씁니다.

배우고 싶은 악기별 학생 수

08 근우네 학교 학생들의 장래 희망을 조사하여 나타낸 표입니다. 물음에 답하세요.

장래 희망별 학생 수

장래 희망	연예인	의사	운동 선수	선생님	기타	합계
학생 수(명)	200	150	75	50	25	500
백분율(%)	**40**	**30**	**15**	**10**	**5**	**100**

(1) 전체 학생 수에 대한 장래 희망별 학생 수의 백분율을 구하여 위 표를 완성해 보세요.

(2) 위 표를 보고 원그래프를 완성해 보세요.

❖ 각 항목이 차지하는 백분율의 크기 만큼 선을 그어 원을 나누고 나눈 부분에 각 항목의 내용과 백분율을 씁니다.

장래 희망별 학생 수

❖ 연예인: $\frac{200}{500} \times 100 = 40$ (%), 의사: $\frac{150}{500} \times 100 = 30$ (%),

운동 선수: $\frac{75}{500} \times 100 = 15$ (%), 선생님: $\frac{50}{500} \times 100 = 10$ (%),

기타: $\frac{25}{500} \times 100 = 5$ (%)

5. 여러 가지 그래프 · 21

---

2 단계 교과서 개념 다지기

정답과 풀이 p.5

개념 5 그래프 해석하기

09 어떤 지역의 연령별 인구 구성비를 조사하여 나타낸 그래프입니다. 물음에 답하세요.

연령별 인구 구성비

	19세 이하	20 ~ 59세	60세 이상
1995년	22.4 %	51.6 %	26 %
2005년	16.5 %	54 %	29.5 %
2015년	13.1 %	55.1 %	31.8 %

(1) 이 지역의 1995년의 전체 인구가 50000명이라면 그해 60세 이상의 인구는 몇 명인지 구해 보세요.

❖ $50000 \times \frac{26}{100} = 13000$(명)

(**13000명**)

(2) 위 그래프를 보고 알 수 있는 내용을 한 가지만 써 보세요.

⑩ 19세 이하의 인구 비율은 점점 감소하고 있습니다.

❖ 19세 이하의 인구의 비율은 22.4 %, 16.5 %, 13.1 %로 점점 감소하고 있습니다.

10 어떤 지역에서 생산한 곡물의 양을 조사하여 나타낸 그래프입니다. 물음에 답하세요.

곡물별 생산량

	쌀	보리	밀
2016년	50.5 %	25.7 %	23.8 %
2017년	48 %	26.9 %	25.1 %
2018년	46.3 %	26.7 %	27 %

(1) 2017년의 쌀 또는 보리의 생산량은 전체의 몇 %인지 구해 보세요.

❖ 쌀이 48 %, 보리가 26.9 %이므로 48+26.9=74.9 (%)입니다.

(**74.9 %**)

(2) 위 그래프를 보고 알 수 있는 내용을 한 가지만 써 보세요.

⑩ 쌀 생산량의 비율은 점점 감소하고 있습니다.

❖ 쌀 생산량의 비율은 50.5 %, 48 %, 46.3 %로 점점 감소하고 있습니다.

22 · Run - C 6-1

개념 6 여러 가지 그래프 비교하기

11 알맞은 그래프에 ○표 하세요.

(1) 그림의 크기와 수로 수량의 많고 적음을 쉽게 알 수 있는 것은 ((그림그래프), 막대그래프)입니다.

(2) 조사한 자료를 막대 모양으로 나타낸 것은 ((막대그래프), 띠그래프)입니다.

(3) 자료의 변화하는 정도를 알아보기 쉬운 것은 (원그래프 , (꺾은선그래프))입니다.

(4) 각 항목끼리의 비율을 쉽게 비교할 수 있는 것은 (그림그래프 , (띠그래프))입니다.

12 자료를 그래프로 나타낼 때 어떤 그래프가 좋을지 보기 에서 찾아 1가지씩 써넣으세요.

보기

그림그래프   막대그래프   꺾은선그래프   띠그래프   원그래프

자료	그래프
우리 반 친구들이 좋아하는 계절	**⑩ 원그래프**
내 키의 월별 변화	**⑩ 꺾은선그래프**
권역별 쌀 생산량	**⑩ 그림그래프**

❖ • 우리 반 친구들이 좋아하는 계절: 그림그래프, 막대그래프, 띠그래프, 원그래프
 • 내 키의 월별 변화: 꺾은선그래프
 • 권역별 쌀 생산량: 그림그래프, 막대그래프, 띠그래프, 원그래프

13 교실의 시각별 온도의 변화를 그래프로 나타낼 때 어떤 그래프가 좋을지 쓰고, 그 이유도 써 보세요.

⑩ 꺾은선그래프

⑩ 시간이 지남에 따라 변화하는 모습과 정도를 쉽게 비교할 수 있기 때문입니다.

5. 여러 가지 그래프 · 23

③ 교과서 실력 다지기

정답과 풀이 p.6

★ 두 그래프의 항목의 수 비교하기

1 어느 피자 가게의 7월과 8월의 판매량을 조사하여 나타낸 띠그래프입니다. 7월의 총 판매량은 300판, 8월의 총 판매량은 450판입니다. 불고기 피자 판매량이 더 많은 달은 몇 월인지 구해 보세요.

7월 판매량

| 0 10 20 30 40 50 60 70 80 90 100(%) |
| 고구마 피자 (35 %) | 불고기 피자 (25 %) | 치즈 피자 (25 %) | 기타 (15 %) |

8월 판매량

| 0 10 20 30 40 50 60 70 80 90 100(%) |
| 치즈 피자 (40 %) | 고구마 피자 (30 %) | 불고기 피자 (20 %) | 기타 (10 %) |

❖ (7월 불고기 피자 판매량) $=300 \times \frac{25}{100}=75$(판), ⊜ **8월**

① 7월과 8월의 불고기 피자 판매량을 각각 구합니다.
② 7월과 8월의 불고기 피자 판매량을 비교합니다.

(8월 불고기 피자 판매량) $=450 \times \frac{20}{100}=90$(판)

따라서 75<90이므로 불고기 피자 판매량이 더 많은 달은 8월입니다.

1-1 은지네 학교 5학년, 6학년 학생들의 혈액형을 조사하여 나타낸 원그래프입니다. 5학년은 총 420명, 6학년은 총 500명입니다. B형인 학생이 더 많은 학년은 몇 학년인지 구해 보세요.

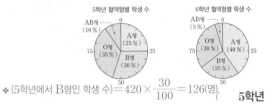

5학년 혈액형별 학생 수 / 6학년 혈액형별 학생 수

❖ (5학년에서 B형인 학생 수) $=420 \times \frac{30}{100}=126$(명)   **5학년**

(6학년에서 B형인 학생 수) $=500 \times \frac{25}{100}=125$(명)

따라서 126>125이므로 B형인 학생이 더 많은 학년은 5학년입니다.

★ 그래프에서 항목의 비율 구하기

2 정수네 학교 학생들이 가고 싶은 장소를 조사하여 나타낸 띠그래프입니다. 산을 가고 싶은 학생 수가 계곡을 가고 싶은 학생 수의 2배일 때, 전체에 대한 산을 가고 싶은 학생 수의 비율은 몇 %인지 구해 보세요.

가고 싶은 장소별 학생 수

| 산 | 바다 (22 %) | 유적지 (20 %) | 계곡 | 기타 (10 %) |

❖ (산과 계곡의 백분율의 합)   **32 %**
$=100-22-20-10=48 (\%)$ ⊜

① 백분율의 합계가 100 %임을 이용하여 산과 계곡의 백분율의 합을 구합니다.
② 조건을 이용하여 산을 가고 싶은 학생 수의 백분율을 구합니다.

계곡의 백분율을 □ %라 하면 산의 백분율은 (□×2) %이므로
□×2+□=48, □×3=48, □=16입니다.
따라서 산의 비율은 16×2=32 (%)입니다.

2-1 희지네 학교 학생들이 좋아하는 영화 장르를 조사하여 나타낸 띠그래프입니다. 만화 영화를 좋아하는 학생 수가 공포 영화를 좋아하는 학생 수의 2배일 때, 전체에 대한 만화 영화를 좋아하는 학생 수의 비율은 몇 %인지 구해 보세요.

좋아하는 영화 장르별 학생 수

| 코미디 (31 %) | 만화 | 액션 (27 %) | 공포 |

❖ (만화)+(공포)$=100-31-27=42 (\%)$ (**28 %**)
공포 영화의 백분율을 □ %라 하면 만화 영화의 백분율은 (□×2) %이므로
□×2+□=42, □×3=42, □=14입니다.
따라서 만화 영화의 비율은 14×2=28 (%)입니다.

2-2 어느 농장에서 기르는 가축의 수를 조사하여 나타낸 띠그래프입니다. 돼지의 수가 닭의 수의 3배일 때, 전체 가축 수에 대한 돼지 수의 비율은 몇 %인지 구해 보세요.

기르는 가축별 수

| 돼지 | 소 (20 %) | 염소 (17 %) | 닭 | 기타 (15 %) |

❖ (돼지)+(닭)   (**36 %**)
$=100-20-17-15=48 (\%)$
닭의 백분율을 □ %라 하면 돼지의 백분율은 (□×3) %이므로
□×3+□=48, □×4=48, □=12입니다.
따라서 돼지의 비율은 12×3=36 (%)입니다.

③ 교과서 실력 다지기

정답과 풀이 p.6

★ 모르는 값 구하여 그림그래프 완성하기

3 지역별 고구마 생산량을 조사하여 나타낸 그림그래프입니다. 네 지역의 평균 생산량은 31 t입니다. 그림그래프를 완성해 보세요.

지역별 고구마 생산량

34 t / 27 t / 43 t

10 t   1 t

① 가, 나, 라 지역의 생산량을 각각 구합니다.
② 네 지역의 전체 생산량을 구합니다.
③ 다 지역의 생산량을 구하여 그림그래프를 완성합니다.

네 지역의 전체 생산량은 31×4=124 (t)입니다.
나 지역의 생산량은 124−34−27−43=20 (t)입니다.
따라서 다 지역은 10 t 그림 2개로 나타냅니다.

3-1 도시별 인구 수를 조사하여 나타낸 그림그래프입니다. 네 도시의 평균 인구 수는 48만 명입니다. 그림그래프를 완성해 보세요.

도시별 인구 수

도시	인구 수
가	👤👤👤👤 👤👤👤
나	👤👤👤👤👤👤 👤
다	👤👤👤👤👤 👤👤👤👤
라	

👤 10만 명   👤 1만 명

❖ 가: 10만 명 그림 4개, 1만 명 그림 3개이므로 43만 명입니다.
나: 10만 명 그림 6개, 1만 명 그림 1개이므로 61만 명입니다.
다: 10만 명 그림 5개, 1만 명 그림 4개이므로 54만 명입니다.

네 도시의 전체 인구 수는 48×4=192(만 명)입니다.
라 도시의 인구 수는 192−43−61−54=34(만 명)입니다.
따라서 라 도시는 10만 명 그림 3개, 1만 명 그림 4개로 나타냅니다.

★ 전체의 수를 이용하여 항목의 수 구하기

4 어느 지역의 올해 채소별 생산량을 조사하여 나타낸 띠그래프입니다. 전체 생산량이 400 t일 때, 배추 생산량은 오이 생산량보다 몇 t 더 많은지 구해 보세요.

채소별 생산량

| 0 10 20 30 40 50 60 70 80 90 100(%) |
| 배추 (35 %) | 고추 (25 %) | 오이 (20 %) | 호박 (15 %) | 기타 (5 %) |

❖ (배추 생산량)$=400 \times \frac{35}{100}=140$ (t), ⊜ **60 t**

① 배추와 오이의 생산량을 각각 구합니다.
② 배추와 오이의 생산량의 차를 구합니다.

(오이 생산량)$=400 \times \frac{20}{100}=80$ (t)

따라서 배추 생산량은 오이 생산량보다 140−80=60 (t) 더 많습니다.

4-1 수정이네 학교 학생들이 기르고 싶어 하는 동물을 조사하여 나타낸 띠그래프입니다. 전체 학생 수가 500명일 때, 강아지를 기르고 싶어 하는 학생은 햄스터를 기르고 싶어 하는 학생보다 몇 명 더 많은지 구해 보세요.

기르고 싶어 하는 동물별 학생 수

| 0 10 20 30 40 50 60 70 80 90 100(%) |
| 강아지 (40 %) | 고양이 (30 %) | 햄스터 (15 %) | 토끼 (10 %) | 기타 (5 %) |

❖ (강아지)$=500 \times \frac{40}{100}=200$(명)   (**125명**)

(햄스터)$=500 \times \frac{15}{100}=75$(명)   ➡ 200−75=125(명)

4-2 안나네 학교 학생들이 좋아하는 운동을 조사하여 나타낸 원그래프입니다. 전체 학생 수가 600명일 때, 축구와 농구를 좋아하는 학생은 모두 몇 명인지 구해 보세요.

좋아하는 운동별 학생 수

❖ (축구)$=600 \times \frac{35}{100}=210$(명)

(농구)$=600 \times \frac{20}{100}=120$(명)   **330명**

➡ 210+120=330(명)

[다른 풀이] 축구와 농구를 좋아하는 학생은 전체의 35+20=55 (%)입니다.

따라서 축구와 농구를 좋아하는 학생은 모두 $600 \times \frac{55}{100}=330$(명)입니다.

3 교과서 실력 다지기

정답과 풀이 p.7

★ 항목별 수를 이용하여 전체의 수 구하기

5 윤지네 학교 학생들의 장래 희망을 조사하여 나타낸 원그래프입니다. 장래 희망이 운동 선수인 학생이 40명일 때, 조사한 전체 학생은 몇 명인지 구해 보세요.

장래 희망별 학생 수

✿ **200명**

❖ (운동 선수)$=100-35-25-10-10=20$ (%)

① 전체 학생 수에 대한 장래 희망이 운동 선수인 학생 수의 비율을 구합니다.
② ①에서 구한 비율을 이용하여 전체 학생 수를 구합니다.

전체 학생 수를 □명이라 하면 $\dfrac{40}{□}=\dfrac{20}{100}$입니다.

➡ $\dfrac{20\times2}{100\times2}=\dfrac{40}{200}$이므로 □=200입니다.

5-1 보라네 학교 학생들의 혈액형을 조사하여 나타낸 원그래프입니다. O형인 학생이 120명일 때, 조사한 전체 학생은 몇 명인지 구해 보세요.

혈액형별 학생 수

❖ (O형)$=100-30-20-10=40$ (%)

전체 학생 수를 □명이라 하면

$\dfrac{120}{□}=\dfrac{40}{100}$입니다. (**300명**)

➡ $\dfrac{40\times3}{100\times3}=\dfrac{120}{300}$이므로 □=300입니다.

5-2 민주네 학교 학생들이 좋아하는 색깔을 조사하여 나타낸 띠그래프입니다. 파란색과 분홍색을 좋아하는 학생이 200명일 때, 조사한 전체 학생은 몇 명인지 구해 보세요.

좋아하는 색깔별 학생 수

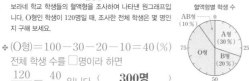

(**500명**)

❖ (파란색)+(분홍색)$=100-32-22-6=40$ (%)

전체 학생 수를 □명이라 하면 $\dfrac{200}{□}=\dfrac{40}{100}$입니다.

➡ $\dfrac{40\times5}{100\times5}=\dfrac{200}{500}$이므로 □=500입니다.

★ 두 그래프 해석하기

6 준영이네 학교 학생들이 좋아하는 계절을 조사하여 나타낸 띠그래프와 가을을 좋아하는 학생의 남녀 비율을 나타낸 원그래프입니다. 조사한 전체 학생이 600명일 때, 가을을 좋아하는 여학생은 몇 명인지 구해 보세요.

좋아하는 계절별 학생 수

가을을 좋아하는 학생의 남녀 비율

❖ (가을을 좋아하는 학생 수)

$=600\times\dfrac{40}{100}=240$(명)

✿ **96명**

① 가을을 좋아하는 학생 수를 구합니다.
② 가을을 좋아하는 여학생의 비율을 구합니다.
③ ①과 ②를 이용하여 가을을 좋아하는 여학생 수를 구합니다.

(여학생의 비율)$=100-60=40$ (%)

따라서 가을을 좋아하는 여학생은 $240\times\dfrac{40}{100}=96$(명)입니다.

6-1 어느 지역의 토지 이용도를 나타낸 원그래프와 밭용 토지의 이용도를 나타낸 띠그래프입니다. 이 지역의 전체 토지 넓이가 $800\,km^2$일 때, 배추를 심은 밭의 넓이는 몇 km^2인지 구해 보세요.

토지 이용도별 넓이

밭용 토지의 이용도별 넓이

❖ (밭의 비율)$=100-30=70$ (%) (**112 km²**)

(밭의 넓이)$=800\times\dfrac{70}{100}=560$ (km²)

따라서 배추를 심은 밭의 넓이는

$560\times\dfrac{20}{100}=112$ (km²)입니다.

Test 교과서 서술형 연습

정답과 풀이 p.7

1 표를 보고 띠그래프로 나타내려고 합니다. 띠그래프에서 전체에 대한 무용이 차지하는 비율은 몇 %인지 구해 보세요.

배우고 싶은 운동별 학생 수

운동	수영	태권도	무용	기타	합계
학생 수(명)		90		15	300
백분율(%)	40				100

(태권도)$=\dfrac{90}{300}\times100=$ **30** (%)

(기타)$=\dfrac{15}{300}\times100=$ **5** (%)

➡ (무용)$=$ **100** $-$ **40** $-$ **30** $-$ **5** $=$ **25** (%)

25 %

2 표를 보고 원그래프로 나타내려고 합니다. 원그래프에서 전체에 대한 진달래가 차지하는 비율은 몇 %인지 구해 보세요.

좋아하는 꽃별 학생 수

꽃	무궁화	진달래	개나리	기타	합계
학생 수(명)	72		32		200
백분율(%)				24	100

(예) (무궁화)$=\dfrac{72}{200}\times100=36$ (%)

(개나리)$=\dfrac{32}{200}\times100=16$ (%)

➡ (진달래)$=100-36-16-24=24$ (%)

24 %

3 어느 수산 시장에서 1년 동안 판매된 수산물의 종류를 조사하여 나타낸 띠그래프입니다. 가장 많이 판매된 수산물은 갈치의 몇 배인지 소수로 구해 보세요.

수산물별 판매량

(갈치)$=$ **100** $-$ **40** $-$ **15** $-$ **10** $-$ **10** $=$ **25** (%)

가장 많이 판매된 수산물은 **고등어** 이고 **40** %입니다.

따라서 가장 많이 판매된 수산물은 갈치의 **40** $\div$ **25** $=$ **1.6** 배입니다.

1.6배

4 종서네 학교 학생들의 방과 후 활동을 조사하여 나타낸 원그래프입니다. 가장 많은 학생의 방과 후 활동은 바둑의 몇 배인지 소수로 구해 보세요.

방과 후 활동별 학생 수

(예) (바둑)$=100-35-30-15=20$ (%)

가장 많은 학생의 방과 후 활동은 수영이고 35 %입니다. 따라서 가장 많은 학생의 방과 후 활동은 바둑의 $35\div20=1.75$(배)입니다.

1.75배

❖ 나: 350 kg, 라: 530 kg

가의 생산량을 □kg이라 하면 다의 생산량은 (□+50) kg이므로 □+350+□+50+530=1350.

□×2+930=1350, □×2=420, □=210입니다.

따라서 가의 생산량은 210 kg이고 다의 생산량은 210+50=260 (kg)입니다.

32쪽 ~ 33쪽

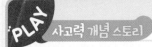

사고력 개념 스토리 — 그림그래프 완성하기

주어진 조건을 보고 빈 곳에 채소 붙임딱지를 붙여 그림그래프를 완성해 보세요.

[조건] 네 마을의 전체 생산량은 1700 kg이고, 가 마을의 생산량은 나 마을보다 50 kg 더 많습니다.

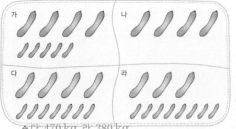

100 kg
10 kg

❖ 다: 470 kg, 라: 380 kg

나의 생산량을 □kg이라 하면 가의 생산량은 (□+50) kg이므로 □+50+□+470+380=1700, □×2+900=1700, □×2=800, □=400입니다.

따라서 가의 생산량은 400+50=450 (kg)이고 나의 생산량은 400 kg입니다.

[조건] 네 마을의 전체 생산량은 1770 kg이고, 다 마을의 생산량은 라 마을보다 20 kg 더 많습니다.

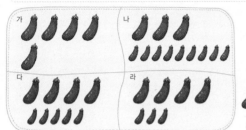

100 kg
10 kg

❖ 가: 500 kg, 나: 390 kg

라의 생산량을 □kg이라 하면 다의 생산량은 (□+20) kg이므로

500+390+□+20+□=1770,

□×2+910=1770, □×2=860, □=430입니다.

따라서 다의 생산량은 430+20=450 (kg)이고 라의 생산량은 430 kg입니다.

채소별 생산량 조사 기록지

[조건] 네 마을의 전체 생산량은 1350 kg이고, 가 마을의 생산량은 다 마을보다 50 kg 더 적습니다.

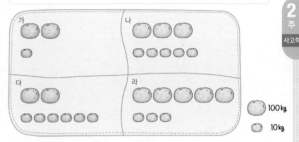

100 kg
10 kg

❖ 다: 470 kg, 라: 380 kg

나의 생산량을 □kg이라 하면 가의 생산량은 (□+50) kg이므로 □+50+□+470+380=1700, □×2+900=1700, □×2=800, □=400입니다.

[조건] 네 마을의 전체 생산량은 1390 kg이고, 나 마을의 생산량은 라 마을보다 30 kg 더 적습니다.

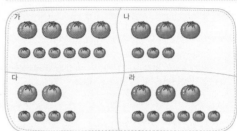

100 kg
10 kg

❖ 가: 460 kg, 다: 240 kg

나의 생산량을 □kg이라 하면 라의 생산량은 (□+30) kg이므로

460+□+240+□+30=1390,

□×2+730=1390, □×2=660, □=330입니다.

따라서 나의 생산량은 330 kg이고 라의 생산량은 330+30=360 (kg)입니다.

34쪽 ~ 35쪽

사고력 개념 스토리 — 띠그래프 완성하기

□ 안에 알맞은 수를 써넣고 각 항목과 백분율이 써 있는 띠그래프 조각 붙임딱지를 붙여 띠그래프를 완성해 보세요.

<3학년 학생들이 좋아하는 운동>

우리 학교 3학년 400명을 대상으로 좋아하는 운동을 조사했습니다. 그 결과 축구 120명, 수영 **100** 명, 야구 80명, 농구 60명, 기타 40명으로 조사되었습니다. 가장 많은 학생이 좋아하는 운동은 축구였습니다. 이 조사 결과를 띠그래프로 나타내었더니 한눈에 더 잘 비교가 되는 것을 알 수가 있었습니다.

| 0 10 20 30 40 50 60 70 80 90 100(%) |
| 축구 (30 %) | 수영 (25 %) | 야구 (20 %) | 농구 (15 %) | 기타 (10 %) |

❖ (수영)=400−120−80−60−40=100(명)

축구: $\frac{120}{400}×100=30$ (%), 수영: $\frac{100}{400}×100=25$ (%), 야구: $\frac{80}{400}×100=20$ (%), 농구: $\frac{60}{400}×100=15$ (%), 기타: $\frac{40}{400}×100=10$ (%)

학급 게시판

<4학년 학생들이 좋아하는 운동>

우리 학교 4학년 500명을 대상으로 좋아하는 운동을 조사했습니다. 그 결과 축구 175명, 농구 125명, 야구 100명, 수영 **75** 명, 기타 25명으로 조사되었습니다. 가장 많은 학생이 좋아하는 운동은 축구였습니다. 이 조사 결과를 띠그래프로 나타내었더니 한눈에 더 잘 비교가 되는 것을 알 수가 있었습니다.

| 0 10 20 30 40 50 60 70 80 90 100(%) |
| 축구 (35 %) | 농구 (25 %) | 야구 (20 %) | 수영 (15 %) | 기타 (5 %) |

❖ (수영)=500−175−125−100−25=75(명)

축구: $\frac{175}{500}×100=35$ (%), 농구: $\frac{125}{500}×100=25$ (%),

야구: $\frac{100}{500}×100=20$ (%), 수영: $\frac{75}{500}×100=15$ (%), 기타: $\frac{25}{500}×100=5$ (%)

❖ (수영)=300−90−75−45−30=60(명)

야구: $\frac{90}{300}×100=30$ (%), 축구: $\frac{75}{300}×100=25$ (%), 수영: $\frac{60}{300}×100=20$ (%).

농구: $\frac{45}{300}×100=15$ (%), 기타: $\frac{30}{300}×100=10$ (%)

<5학년 학생들이 좋아하는 운동>

우리 학교 5학년 300명을 대상으로 좋아하는 운동을 조사했습니다. 그 결과 야구 90명, 축구 75명, 수영 **60** 명, 농구 45명, 기타 30명으로 조사되었습니다. 가장 많은 학생이 좋아하는 운동은 야구였습니다. 이 조사 결과를 띠그래프로 나타내었더니 한눈에 더 잘 비교가 되는 것을 알 수가 있었습니다.

| 0 10 20 30 40 50 60 70 80 90 100(%) |
| 야구 (30 %) | 축구 (25 %) | 수영 (20 %) | 농구 (15 %) | 기타 (10 %) |

학급 게시판

<6학년 학생들이 좋아하는 운동>

우리 학교 6학년 600명을 대상으로 좋아하는 운동을 조사했습니다. 그 결과 야구 210명, 농구 150명, 축구 120명, 수영 **90** 명, 기타 30명으로 조사되었습니다. 가장 많은 학생이 좋아하는 운동은 야구였습니다. 이 조사 결과를 띠그래프로 나타내었더니 한눈에 더 잘 비교가 되는 것을 알 수가 있었습니다.

| 0 10 20 30 40 50 60 70 80 90 100(%) |
| 야구 (35 %) | 농구 (25 %) | 축구 (20 %) | 수영 (15 %) | 기타 (5 %) |

❖ (수영)=600−210−150−120−30=90(명)

야구: $\frac{210}{600}×100=35$ (%),

농구: $\frac{150}{600}×100=25$ (%), 축구: $\frac{120}{600}×100=20$ (%),

수영: $\frac{90}{600}×100=15$ (%), 기타: $\frac{30}{600}×100=5$ (%)

1단계 교과 사고력 잡기

정답과 풀이 p.9

1 가마별 구운 옹기의 수를 조사하여 나타낸 그림그래프입니다. 네 가마의 평균 옹기 수가 3800개이고 A 가마의 옹기 수는 C 가마의 옹기 수보다 1300개 더 많습니다. 그림그래프를 완성해 보세요.

▲ 가마

가마별 구운 옹기 수

가마	옹기 수
A	
B	
C	
D	

🏺1000개
🏺100개

① B와 D 가마의 옹기 수는 몇 개인지 각각 구해 보세요.

B 가마 (**4500개**)
D 가마 (**5200개**)

✧ B: 1000개 그림 4개, 100개 그림 5개이므로 4500개입니다.
D: 1000개 그림 5개, 100개 그림 2개이므로 5200개입니다.

② 네 가마의 전체 옹기 수는 모두 몇 개인지 구해 보세요.

(**15200개**)

✧ 3800×4=15200(개)

③ A와 C 가마의 옹기 수는 몇 개인지 각각 구해 보세요.

A 가마 (**3400개**)
C 가마 (**2100개**)

✧ C 가마의 옹기 수를 □개라 하면 A 가마의 옹기 수는 (□+1300)개이므로

④ 위 그림그래프를 완성해 보세요. □+1300+4500+□+5200=15200,
□×2+11000=15200, □×2=4200, □=2100입니다.
따라서 A 가마의 옹기 수는 2100+1300=3400(개)이고
C 가마의 옹기 수는 2100개입니다.

---

2 영호네 학교 학생 500명의 혈액형을 조사하여 나타낸 띠그래프입니다. 띠그래프의 전체 길이가 20 cm일 때, 원그래프로 바꾸어 나타내어 보세요.

혈액형별 학생 수
20 cm

A형	B형	O형	AB형 (15%)

6 cm ↔ 7 cm

① A형의 비율은 전체의 몇 %인지 구해 보세요.

(**30 %**)

✧ (A형)=$\dfrac{(\text{A형의 길이})}{(\text{전체 띠그래프의 길이})} \times 100 = \dfrac{6}{20} \times 100 = 30$ (%)

② O형의 비율은 전체의 몇 %인지 구해 보세요.

(**35 %**)

✧ (O형)=$\dfrac{(\text{O형의 길이})}{(\text{전체 띠그래프의 길이})} \times 100 = \dfrac{7}{20} \times 100 = 35$ (%)

③ B형의 비율은 전체의 몇 %인지 구해 보세요.

(**20 %**)

✧ (B형)=(합계)-(A형)-(O형)-(AB형)
=100-30-35-15=20 (%)

④ 위 띠그래프를 원그래프로 나타내어 보세요.

✧ 각 항목이 차지하는 백분율의 크기만큼 선을 그어 원을 나누고 나눈 부분에 각 항목의 내용과 백분율을 씁니다.

AB형 (15%)
A형 (30%)
B형 (20%)
O형 (35%)

1단계 교과 사고력 잡기

정답과 풀이 p.9

3 영지네 학교 6학년 학생들의 하루 TV 시청 시간을 조사하여 나타낸 원그래프입니다. TV 시청 시간이 3시간 이상인 학생이 40명일 때, TV 시청 시간이 2시간 미만인 학생은 몇 명인지 구해 보세요.

TV 시청 시간별 학생 수

3시간 이상
1시간 미만 (35%)
2시간 이상 3시간 미만 (30%)
1시간 이상 2시간 미만 (15%)

① TV 시청 시간이 3시간 이상의 비율은 전체의 몇 %인지 구해 보세요.

(**20 %**)

✧ (3시간 이상)=(합계)-(1시간 미만)-(1시간 이상 2시간 미만)
-(2시간 이상 3시간 미만)
=100-35-15-30=20 (%)

② 조사한 전체 학생은 몇 명인지 구해 보세요.

(**200명**)

✧ 전체 학생 수를 □명이라 하면 $\dfrac{40}{□} = \dfrac{20}{100}$ 입니다.

→ $\dfrac{20 \times 2}{100 \times 2} = \dfrac{40}{200}$ 이므로 □=200입니다.

③ TV 시청 시간이 2시간 미만의 비율은 전체의 몇 %인지 구해 보세요.

(**50 %**)

✧ (2시간 미만)=(1시간 미만)+(1시간 이상 2시간 미만)=35+15=50 (%)
[다른 풀이] (2시간 미만)=(합계)-(2시간 이상 3시간 미만)-(3시간 이상)
=100-30-20=50 (%)

④ TV 시청 시간이 2시간 미만인 학생은 몇 명인지 구해 보세요.

(**100명**)

✧ $200 \times \dfrac{50}{100} = 100$(명)

---

4 어떤 농장의 전체 가축 수에 대한 가축별 구성비를 조사하여 나타낸 그래프입니다. 물음에 답하세요.

가축별 구성비

	돼지	염소	닭
2004년	45 %	40 %	15 %
2009년	38 %	44 %	18 %
2014년	24 %	46 %	30 %
2019년	15 %	51 %	34 %

① 2009년의 돼지 또는 닭의 수는 전체의 몇 %인지 구해 보세요.

(**56 %**)

✧ 돼지는 38 %이고, 닭은 18 %이므로 38+18=56 (%)입니다.

② 2014년에 닭의 수는 돼지의 수의 몇 배인지 소수로 구해 보세요.

(**1.25배**)

✧ 돼지는 24 %, 닭은 30 %이므로 30÷24=1.25(배)입니다.

③ 전체에 대한 가축 수의 비율이 같은 것을 찾으려고 합니다. □ 안에 알맞은 수 또는 말을 써넣으세요.

2004 년 **닭** , **2019** 년 **돼지**

✧ 그래프에서 비율이 같은 것은 2004년의 닭(15 %)과 2019년의 돼지(15 %)입니다.

④ 위 그래프를 보고 알 수 있는 내용을 한 가지만 써 보세요.

예 **돼지의 비율은 점점 감소하고 있습니다.**

✧ 돼지의 비율은 45 %, 38 %, 24 %, 15 %로 점점 감소하고 있습니다.

❖ •동우네 마을: 막대 한 칸이 5 t을 나타내므로 콩은 30 t, 보리는 50 t, 쌀은 70 t, 밀은 50 t입니다.
(합계)＝30＋50＋70＋50＝200 (t)

콩: $\frac{30}{200}\times100=15\,(\%)$, 보리: $\frac{50}{200}\times100=25\,(\%)$,

쌀: $\frac{70}{200}\times100=35\,(\%)$, 밀: $\frac{50}{200}\times100=25\,(\%)$

2단계 교과 사고력 확장

1 원재네 반 학생들이 좋아하는 과일을 조사한 자료를 보고 띠그래프로 나타내어 보세요.

좋아하는 과일별 학생 수

과일	바나나	포도	오렌지	기타	합계
학생 수(명)	7	6	5	2	20
백분율(%)	35	30	25	10	100

① 표에서 기타에 넣은 과일을 모두 찾아 쓰고, 그 이유도 써 보세요.

(배, 사과)

예 배, 사과는 다른 과일에 비해서 학생 수가 적기 때문입니다.

❖ 예 바나나, 포도, 오렌지를 제외한 나머지 과일은 배, 사과입니다.

② 위 표를 완성해 보세요. ❖ 바나나: $\frac{7}{20}\times100=35\,(\%)$, 포도: $\frac{6}{20}\times100=30\,(\%)$,

오렌지: $\frac{5}{20}\times100=25\,(\%)$, 기타: $\frac{2}{20}\times100=10\,(\%)$

③ 위 표를 보고 전체 길이가 12 cm인 띠그래프로 나타내려고 합니다. □ 안에 알맞은 수를 써넣고 띠그래프에 항목과 길이를 나타내어 보세요.

바나나: **4.2** cm, 포도: **3.6** cm, 오렌지: **3** cm, 기타: **1.2** cm

좋아하는 과일별 학생 수

← 12 cm →			
바나나	포도	오렌지	기타
4.2 cm	3.6 cm	3 cm	1.2 cm

❖ 바나나: $12\times\frac{35}{100}=4.2\,(\text{cm})$, 포도: $12\times\frac{30}{100}=3.6\,(\text{cm})$,

오렌지: $12\times\frac{25}{100}=3\,(\text{cm})$, 기타: $12\times\frac{10}{100}=1.2\,(\text{cm})$

2 세 마을의 올해 곡물별 수확량을 조사하여 나타낸 막대그래프입니다. 막대그래프와 관계있는 원그래프를 찾아 선으로 이어 보세요.

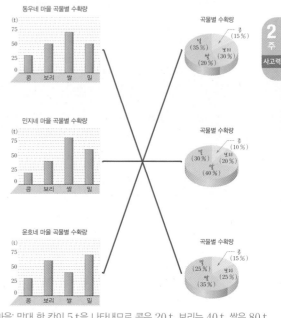

•민지네 마을: 막대 한 칸이 5 t을 나타내므로 콩은 20 t, 보리는 40 t, 쌀은 80 t, 밀은 60 t입니다. (합계)＝20＋40＋80＋60＝200 (t)

콩: $\frac{20}{200}\times100=10\,(\%)$, 보리: $\frac{40}{200}\times100=20\,(\%)$,

쌀: $\frac{80}{200}\times100=40\,(\%)$, 밀: $\frac{60}{200}\times100=30\,(\%)$

•윤호네 마을: 막대 한 칸이 5 t을 나타내므로 콩은 30 t, 보리는 60 t, 쌀은 40 t, 밀은 70 t입니다. (합계)＝30＋60＋40＋70＝200 (t)

콩: $\frac{30}{200}\times100=15\,(\%)$, 보리: $\frac{60}{200}\times100=30\,(\%)$,

쌀: $\frac{40}{200}\times100=20\,(\%)$, 밀: $\frac{70}{200}\times100=35\,(\%)$

2단계 교과 사고력 확장

3 지우네 학교 학생 500명이 좋아하는 음식을 조사하여 나타낸 원그래프입니다. 피자를 좋아하는 학생은 떡볶이를 좋아하는 학생보다 몇 명 더 많은지 구해 보세요. (단, 원그래프에서 각도의 합계는 360°입니다.)

좋아하는 음식별 학생 수

① 피자를 좋아하는 학생의 비율은 전체의 몇 %인지 구해 보세요.

(**35 %**)

❖ $\frac{126°}{360°}\times100=35\,(\%)$

② 떡볶이를 좋아하는 학생의 비율은 전체의 몇 %인지 구해 보세요.

(**20 %**)

❖ $100-35-30-15=20\,(\%)$

③ 피자와 떡볶이를 좋아하는 학생은 각각 몇 명인지 구해 보세요.

피자 (**175명**)
떡볶이 (**100명**)

❖ 피자: $500\times\frac{35}{100}=175\,(명)$, 떡볶이: $500\times\frac{20}{100}=100\,(명)$

④ 피자를 좋아하는 학생은 떡볶이를 좋아하는 학생보다 몇 명 더 많은지 구해 보세요.

(**75명**)

❖ $175-100=75\,(명)$

4 다음은 어느 지역의 연령별 스마트폰 이용자 수를 조사하여 나타낸 표와 그림그래프입니다. 그림그래프를 완성해 보세요.

연령별 스마트폰 이용자 수

연령	이용자 수	어림값	연령	이용자 수	어림값
19세 이하	4125명	4100명	40~59세	5394명	5400명
20~39세	6158명		60세 이상	2539명	

연령별 스마트폰 이용자 수

연령	이용자 수
19세 이하	
20~39세	
40~59세	
60세 이상	

① 위 표에서 이용자 수를 어림한 방법에 ○표 하세요.

올림하여 백의 자리까지	반올림하여 백의 자리까지	버림하여 백의 자리까지
	○	

❖ 19세 이하: 4125명을 4100명으로 나타냈으므로 반올림 또는 버림하여 백의 자리까지
40~59세: 5394명을 5400명으로 나타냈으므로 반올림 또는 올림하여 백의 자리까지
따라서 반올림하여 백의 자리까지 나타낸 것입니다.

② 위 그림그래프에서 ▢와 ▪는 각각 몇 명을 나타내는지 구해 보세요.

▢ (**1000명**)
▪ (**100명**)

❖ 19세 이하: 4100명 ➡ ▢▢▢▢▪, 40~59세: 5400명 ➡ ▢▢▢▢▢▪▪▪▪

따라서 ▢는 1000명, ▪는 100명을 나타냅니다.

③ 위 그림그래프를 완성해 보세요.

❖ 20~39세: 6158명 ➡ 6200명이므로 1000명 그림 6개, 100명 그림 2개로 나타냅니다.

60세 이상: 2539명 ➡ 2500명이므로 1000명 그림 2개, 100명 그림 5개로 나타냅니다.

❖ 한쪽 빨간색의 비율을 □ %라 하면
양쪽 빨간색: (□×2) %, 양쪽 파란색: (□×4) %, 초록색: (□×4) %입니다.
→ □×2+□×4+□×4=100, □×10=100, □=10
한쪽 빨간색: $14×\dfrac{10}{100}=1.4$ (cm), 한쪽 파란색: $14×\dfrac{20}{100}=2.8$ (cm),
초록색: $14×\dfrac{40}{100}=5.6$ (cm)

정답과 풀이 p.11

③ 단계 교과 사고력 완성

평가 요소 ☑개념 이해력 ☐개념 응용력 ☐창의력 ☐문제 해결력

1 미라네 반 학생들의 혈액형을 조사하여 나타낸 띠그래프입니다. 띠그래프를 보고 원을 몇 등분한 원그래프로 바꿔서 나타내었더니 A형이 7칸이 되었습니다. 원을 몇 등분 한 것인지 구해 보세요.

혈액형별 학생 수

| A형 (28 %) | B형 (24 %) | O형 (36 %) | AB형 (12 %) |

❖ 7칸이 나타내는 백분율이 28 %이므로 한 칸은 (**25등분**)
28÷7=4 (%)를 나타냅니다. 따라서 원을 100÷4=25(등분) 한 것입니다.
[다른 풀이]
원을 □등분 했다고 하면 $\dfrac{7}{□}×100=28$, $\dfrac{7}{□}=\dfrac{28}{100}$, $\dfrac{7×4}{□×4}=\dfrac{28}{100}$,
□×4=100, □=25

평가 요소 ☐개념 이해력 ☐개념 응용력 ☐창의력 ☑문제 해결력

2 버스 이용자 5000명을 대상으로 만족 여부를 조사하여 나타낸 원그래프와 불만족인 이용자를 대상으로 불만족 이유를 조사하여 나타낸 띠그래프입니다. 버스 요금을 할인하였더니 불만족인 이유가 비싼 요금인 이용자가 모두 만족으로 바뀌었다면 만족인 이용자는 몇 명이 되었는지 구해 보세요.

만족 여부 / 불만족 (20 %) / 만족 (80 %)

불만족 이유 / 정시 미도착 (45 %) / 비싼 요금 (25 %) / 노선표 (20 %) / 기타 (10 %)

(**4250명**)

❖ (처음 만족 이용자 수)=$5000×\dfrac{80}{100}=4000$(명)

(처음 불만족 이용자 수)=$5000×\dfrac{20}{100}=1000$(명)

(불만족인 이유가 비싼 요금인 이용자 수)=$1000×\dfrac{25}{100}=250$(명)

(바뀐 후 만족 이용자 수)=4000+250=4250(명)

평가 요소 ☐개념 이해력 ☐개념 응용력 ☑창의력 ☐문제 해결력

3 조건에 따라 전체 길이가 14 cm인 띠 모양의 종이를 색칠하고, 색칠한 부분마다 길이를 나타내어 보세요.

조건
· 양쪽 끝에 같은 비율만큼 빨간색을 색칠합니다.
· 그 안쪽의 양쪽 끝에 파란색을 같은 비율만큼 색칠합니다.
· 나머지 부분에 모두 초록색을 색칠합니다.
· 띠 모양의 종이 전체에서 파란색의 비율은 빨간색의 2배이고, 초록색의 비율은 파란색의 비율과 같습니다.

14 cm

| 빨간색 | 파란색 | 초록색 | 파란색 | 빨간색 |

1.4 cm 2.8 cm 5.6 cm 2.8 cm 1.4 cm

평가 요소 ☐개념 이해력 ☐개념 응용력 ☐창의력 ☑문제 해결력

4 어떤 가게의 월별 아이스크림 판매량을 조사하여 나타낸 그림그래프입니다. 판매량을 반올림하여 백의 자리까지 나타낸 것이라면 판매량이 가장 많은 달과 판매량이 가장 적은 달의 판매량의 차는 최대 몇 개인지 구해 보세요.

월별 아이스크림 판매량

월	판매량
1월	
2월	
3월	
4월	

🍦1000개 🍦100개

(**3299개**)

❖ 판매량이 가장 많은 달은 4월이고 6100개이므로 6050개 이상 6149개 이하입니다.
판매량이 가장 적은 달은 2월이고 2900개이므로 2850개 이상 2949개 이하입니다.
따라서 판매량의 차는 최대 6149−2850=3299(개)입니다.

Test 종합평가   5. 여러 가지 그래프

맞은 개수 [　]

정답과 풀이 p.11

[1~4] 어느 영화관의 상영관별 관람객 수를 조사하여 나타낸 표입니다. 물음에 답하세요.

상영관별 관람객 수

상영관	가	나	다	라
관람객 수(명)	120	250	310	160

1 위 표를 보고 그림그래프를 완성해 보세요.

상영관별 관람객 수

상영관	관람객 수
가	
나	
다	
라	

👤100명 👤10명

2 관람객 수가 가장 많은 상영관을 찾아 기호를 써 보세요.

(**다**)

❖ 100명을 나타내는 그림의 수가 가장 많은 상영관을 찾습니다.

3 관람객 수가 가장 적은 상영관을 찾아 기호를 써 보세요.

(**가**)

❖ 100명을 나타내는 그림의 수가 가장 적은 상영관을 찾고 100명을 나타내는 그림의 수가 같다면 10명을 나타내는 그림의 수가 가장 적은 상영관을 찾습니다.

4 관람객 수가 라 상영관보다 더 많은 상영관을 모두 찾아 기호를 써 보세요.

(**나, 다**)

❖ 100명을 나타내는 그림의 수가 라 상영관보다 더 많은 상영관을 찾습니다.

[5~7] 정우네 반 학생들이 좋아하는 간식을 조사하여 나타낸 표입니다. 물음에 답하세요.

좋아하는 간식별 학생 수

간식	치킨	피자	떡볶이	김밥	합계
학생 수(명)	8	6	4	2	20
백분율(%)	**40**	**30**	**20**	**10**	**100**

5 전체 학생 수에 대한 좋아하는 간식별 학생 수의 백분율을 구하여 위 표를 완성해 보세요.

❖ 치킨: $\dfrac{8}{20}×100=40$ (%), 피자: $\dfrac{6}{20}×100=30$ (%)

떡볶이: $\dfrac{4}{20}×100=20$ (%), 김밥: $\dfrac{2}{20}×100=10$ (%)

6 위 표를 보고 띠그래프를 완성해 보세요.

좋아하는 간식별 학생 수

0　10　20　30　40　50　60　70　80　90　100(%)

| 치킨 (40 %) | 피자 (30 %) | 떡볶이 (20 %) | 김밥 (10 %) |

❖ 각 항목이 차지하는 백분율의 크기만큼 선을 그어 띠를 나누고 나눈 부분에 각 항목의 내용과 백분율을 씁니다.

7 좋아하는 학생의 비율이 떡볶이의 2배인 간식을 찾아 써 보세요.

(**치킨**)

❖ 떡볶이의 비율이 20 %이므로 비율이 20×2=40 (%)인 간식을 찾으면 치킨입니다.

8 다음 중 띠그래프 또는 원그래프로 나타내면 좋은 자료를 모두 찾아 기호를 써 보세요.

　㉠ 하루 동안의 교실의 온도 변화　　㉡ 우리 도시 각 지역의 인구
　㉢ 우리 반 학생들이 좋아하는 동물　㉣ 6학년 각 반 시험 성적 평균

❖ ㉠ 꺾은선그래프　　　　　　　　　　　　(**㉡, ㉢**)
㉡ 그림그래프, 막대그래프, 띠그래프, 원그래프
㉢ 그림그래프, 막대그래프, 띠그래프, 원그래프
㉣ 막대그래프

Test 종합평가 5. 여러 가지 그래프 정답과 풀이 p.12

9 현철이네 학교 학생들이 수학여행으로 가고 싶은 일정을 조사하여 나타낸 띠그래프입니다. 가장 많은 학생이 가고 싶은 일정을 찾아 써 보세요.

수학여행 일정별 학생 수

0 10 20 30 40 50 60 70 80 90 100(%)
당일 여행 (30 %)	1박 2일 (15 %)	2박 3일 (35 %)	3박 4일 (20 %)

(**2박 3일**)

✧ 당일 여행: 30 %, 1박 2일: 15 %, 2박 3일: 35 %, 3박 4일: 20 %
➡ 35 % > 30 % > 20 % > 15 %이므로 가장 많은 학생이 가고 싶은
일정은 2박 3일입니다.

[10~11] 주희네 학교 6학년 학생들이 좋아하는 생선을 조사하여 나타낸 원그래프입니다. 물음에 답하세요.

좋아하는 생선별 학생 수

10 연어를 좋아하는 학생 수는 갈치를 좋아하는 학생 수의 몇 배인지 소수로 나타내어 보세요.

(**1.25배**)

✧ 연어: 25 %, 갈치: 20 % ➡ 25÷20=1.25(배)

11 주희네 학교 6학년 전체 학생 수가 120명일 때, 원그래프를 보고 표를 완성해 보세요.

좋아하는 생선별 학생 수

생선	참치	연어	갈치	꽁치	기타	합계
학생 수(명)	42	30	24	18	6	120

✧ 참치: $120 \times \frac{35}{100} = 42$(명), 연어: $120 \times \frac{25}{100} = 30$(명),
갈치: $120 \times \frac{20}{100} = 24$(명), 꽁치: $120 \times \frac{15}{100} = 18$(명),
기타: $120 \times \frac{5}{100} = 6$(명) ➡ (합계)=42+30+24+18+6=120(명)

[12~16] 효주네 마을에서 한 달 동안 배출한 재활용품의 양을 조사하여 나타낸 원그래프입니다. 물음에 답하세요.

재활용품별 배출량

12 병류는 전체의 몇 %인지 구해 보세요.

(**24 %**)

✧ 100−32−24−12−8=24(%)

13 가장 높은 비율을 차지하는 재활용품은 무엇인지 써 보세요.

(**종이류**)

✧ 원그래프에서 넓이가 가장 넓은 부분을 찾으면 종이류입니다.

14 종이류와 병류의 백분율의 합은 몇 %인지 구해 보세요.

(**56 %**)

✧ 종이류: 32 %, 병류: 24 % ⇨ 32+24=56(%)

15 캔류의 배출량은 플라스틱류의 배출량의 몇 배인지 구해 보세요.

(**2배**)

✧ 캔류: 24 %, 플라스틱류: 12 % ⇨ 24÷12=2(배)

16 플라스틱류의 배출량이 60 kg이라면 재활용품 전체 배출량은 몇 kg인지 구해 보세요.

(**500 kg**)

✧ 전체 배출량을 □ kg이라 하면 $\frac{60}{\square} \times 100 = 12$, $\frac{60}{\square} = \frac{12}{100}$입니다.
따라서 $\frac{12 \times 5}{100 \times 5} = \frac{60}{500}$이므로 □=500입니다.

Test 종합평가 5. 여러 가지 그래프 정답과 풀이 p.12

[17~18] 명수네 집의 지난달 생활비의 쓰임새를 조사하여 나타낸 원그래프입니다. 물음에 답하세요.

생활비 쓰임새별 금액

✧ 전체가 100 %이므로
$100 \times \frac{1}{4} = 25$ (%)입니다.
전체의 25 %를 차지하는 쓰임새는
교육비입니다.

17 전체 생활비의 $\frac{1}{4}$을 차지하는 쓰임새는 무엇인지 써 보세요.

(**교육비**)

✧ 전체 생활비를 □만 원이라 하면 $\frac{40}{\square} \times 100 = 20$, $\frac{40}{\square} = \frac{20}{100}$입니다.

18 저축한 금액이 40만 원이라면 교육비는 얼마인지 구해 보세요.

➡ $\frac{20 \times 2}{100 \times 2} = \frac{40}{200}$이므로 □=200입니다. (**50만 원**)

따라서 교육비는 $200 \times \frac{25}{100} = 50$(만 원)입니다.

19 어느 지역의 토지 이용도를 나타낸 띠그래프와 농업용 토지의 이용도를 나타낸 원그래프입니다. 이 지역의 전체 토지 넓이가 600 km²일 때, 밭의 넓이는 몇 km²인지 구해 보세요.

토지 이용도별 넓이

0 10 20 30 40 50 60 70 80 90 100(%)
산림 (35 %)	주거 (30 %)	농업 (20 %)	공업 (15 %)

농업용 토지의 이용도별 넓이

(**54 km²**)

✧ (농업용 토지의 넓이)=$600 \times \frac{20}{100} = 120$ (km²)
(밭의 넓이)=$120 \times \frac{45}{100} = 54$ (km²)

특강 창의·융합 사고력 정답과 풀이 p.12

1 민준이네 학교 학생들이 어린이집 시장놀이를 도와주려고 물건을 모았습니다. 물건별 수를 보고 표를 완성한 후 표를 보고 띠그래프와 원그래프로 각각 나타내어 보세요.

필통 40개　　장난감 80개　　가방 6개
공 50개　　모자 20개　　우산 4개

시장놀이 물건별 수

물건	장난감	공	필통	모자	기타	합계
개수(개)	80	50	40	20	10	200
백분율(%)	40	25	20	10	5	100

✧ 기타에 들어가는 항목은 가방과 우산이므로 6+4=10(개)입니다.
(합계)=80+50+40+20+10=200(개)

시장놀이 물건별 수

0 10 20 30 40 50 60 70 80 90 100(%)
장난감 (40 %)	공 (25 %)	필통 (20 %)	모자 (10 %)	기타 (5 %)

시장놀이 물건별 수

✧ 각 항목이 차지하는 백분율의
크기만큼 선을 그어 띠를 나
누고 나눈 부분에 각 항목의
내용과 백분율을 씁니다.

✧ 각 항목이 차지하는 백분율의 크기만큼 선을 그어 원을 나누고 나눈
부분에 각 항목의 내용과 백분율을 씁니다.

6 직육면체의 부피와 겉넓이

직육면체 모양

우리 생활 주변에서는 직육면체 모양의 여러 가지 물건들을 찾아볼 수 있습니다. 간장, 된장, 고추장을 담그는 원료로 쓰이는 메주는 콩을 삶아서 찧은 다음 덩이를 지어서 띄워 말린 것으로 직육면체 모양입니다. 메주를 이용하여 직육면체 부피를 비교해 보고 전개도를 알아볼까요?

☆ 임의 단위를 이용하여 상자의 부피 비교하기

부피가 더 큰 상자에 메주를 가득 담아 택배로 보내려고 해.

상자에 크기가 같은 메주를 가득 담아 메주의 수를 세어 보면 부피를 비교할 수 있어.

가와 나 상자에 담을 수 있는 메주는 각각 몇 개인지 구하고 택배로 보낼 상자의 기호에 ○표 하세요.

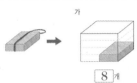 → 가 [8]개   나 [10]개

직육면체와 정육면체에 대해 설명한 것입니다. □ 안에 알맞은 말이나 수를 써넣으세요.

 직육면체는 **직**사각형 [6]개로 둘러싸인 도형입니다.

 정육면체는 **정**사각형 [6]개로 둘러싸인 도형입니다.

입체도형의 모서리를 잘라서 평면 위에 펼쳐 놓은 그림을 입체도형의 전개도라고 합니다. 주어진 직육면체와 정육면체 모양 메주를 보고 각각의 전개도를 그려 보세요.

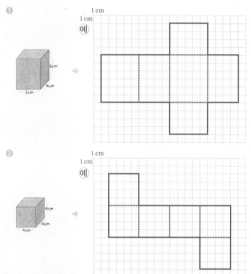

✤ (1) 밑면의 넓이(가로와 세로)가 같으므로 높이를 비교하면
5 cm < 6 cm입니다. → 오른쪽 직육면체의 부피가 더 큽니다.

1단계 교과서 개념 잡기

개념 1 직육면체의 부피를 비교하기

· 상자를 맞대어 비교하기

 가 6 cm 5 cm 8 cm
 나 4 cm 5 cm 8 cm
 다 9 cm 4 cm 6 cm

가와 나
밑면의 넓이가 같으므로 높이가 더 높은 가의 부피가 더 큽니다.

가와 다
부피를 비교할 수 없습니다.

밑면의 모양이 다르거나 높이가 각각 다를 때에는 부피를 비교하기 어렵습니다.

· 상자 속에 크기와 모양이 같은 물건으로 채워 비교하기

 가   나

가 상자에는 벽돌 27개 담을 수 있습니다.
나 상자에는 벽돌 16개 담을 수 있습니다. → 27 > 16이므로 가의 부피가 더 큽니다.

· 쌓기나무를 사용하여 비교하기

① 쌓기나무로 상자와 같은 크기의 직육면체 모양으로 쌓습니다.
② 쌓기나무의 수를 세어 비교합니다.
· 쌓기나무 수가 많을수록 부피가 더 큽니다.

 가 →
 나 →

→ 쌓은 쌓기나무 수를 비교하면 16개 < 27개이므로 나의 부피가 더 큽니다.

개념 확인 문제

정답과 풀이 p.13

1-1 부피가 더 큰 직육면체에 ○표 하세요.

(1) 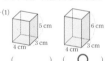   ( ) (○)
(2)   (○) ( )

✤ (2) 가로와 높이가 같으므로 세로를 비교하면 4 cm > 3 cm입니다. → 왼쪽 직육면체의 부피가 더 큽니다.

1-2 상자 가와 나에 크기가 같은 작은 상자를 담았습니다. 부피가 더 큰 상자의 기호를 써 보세요.

 가   나

(나)

✤ 가 상자: 한 층에 3 × 2 = 6(개)씩 2층이므로 6 × 2 = 12(개)입니다.
나 상자: 한 층에 2 × 4 = 8(개)씩 2층이므로 8 × 2 = 16(개)입니다.
→ 12개 < 16개이므로 나 상자의 부피가 더 큽니다.

1-3 크기가 같은 쌓기나무를 사용하여 만든 두 직육면체의 부피를 비교하려고 합니다. 물음에 답하세요.

 가   나

(1) 가와 나의 쌓기나무는 각각 몇 개일까요?
가 (24개), 나 (30개)

(2) 가와 나 중에서 부피가 더 큰 직육면체는 어느 것일까요?
(나)

✤ (1) 가: 한 층에 2 × 4 = 8(개)씩 3층이므로 8 × 3 = 24(개)입니다.
나: 한 층에 5 × 3 = 15(개)씩 2층이므로 15 × 2 = 30(개)입니다.
(2) 24개 < 30개이므로 나의 부피가 더 큽니다.

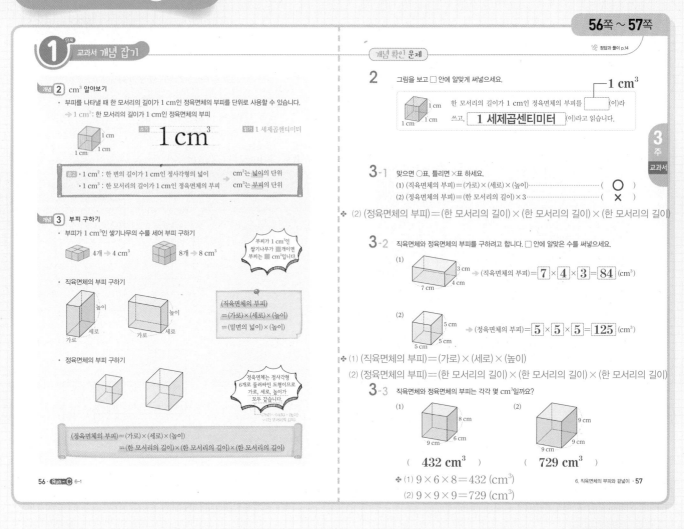

1단계 교과서 개념 잡기

개념 2 cm³ 알아보기

• 부피를 나타낼 때 한 모서리의 길이가 1 cm인 정육면체의 부피를 단위로 사용할 수 있습니다.

➡ 1 cm³: 한 모서리의 길이가 1 cm인 정육면체의 부피

쓰기 1 cm³   읽기 1 세제곱센티미터

참고 • 1 cm²: 한 변의 길이가 1 cm인 정사각형의 넓이 ➡ cm²는 넓이의 단위
• 1 cm³: 한 모서리의 길이가 1 cm인 정육면체의 부피 ➡ cm³는 부피의 단위

개념 3 부피 구하기

• 부피가 1 cm³인 쌓기나무의 수를 세어 부피 구하기

4개 ➡ 4 cm³   8개 ➡ 8 cm³

부피가 1 cm³인 쌓기나무가 ▨개이면 부피는 ▨ cm³입니다.

• 직육면체의 부피 구하기

(직육면체의 부피)
=(가로)×(세로)×(높이)
=(밑면의 넓이)×(높이)

• 정육면체의 부피 구하기

정육면체는 정사각형 6개로 둘러싸인 도형이므로 가로, 세로, 높이가 모두 같습니다.

(정육면체의 부피)=(가로)×(세로)×(높이)
=(한 모서리의 길이)×(한 모서리의 길이)×(한 모서리의 길이)

개념 확인 문제

정답과 풀이 p.14

2 그림을 보고 □ 안에 알맞게 써넣으세요.

1 cm³

한 모서리의 길이가 1 cm인 정육면체의 부피를 [1]이라 쓰고, **1 세제곱센티미터** (이)라고 읽습니다.

3-1 맞으면 ○표, 틀리면 ×표 하세요.
(1) (직육면체의 부피)=(가로)×(세로)×(높이) ········· (○)
(2) (정육면체의 부피)=(한 모서리의 길이)×3 ········· (×)

✤ (2) (정육면체의 부피)=(한 모서리의 길이)×(한 모서리의 길이)×(한 모서리의 길이)

3-2 직육면체와 정육면체의 부피를 구하려고 합니다. □ 안에 알맞은 수를 써넣으세요.
(1) ➡ (직육면체의 부피)= [7] × [4] × [3] = [84] (cm³)
(2) ➡ (정육면체의 부피)= [5] × [5] × [5] = [125] (cm³)

✤ (1) (직육면체의 부피)=(가로)×(세로)×(높이)
(2) (정육면체의 부피)=(한 모서리의 길이)×(한 모서리의 길이)×(한 모서리의 길이)

3-3 직육면체와 정육면체의 부피는 각각 몇 cm³일까요?
(1) (**432 cm³**)   (2) (**729 cm³**)

✤ (1) 9×6×8=432 (cm³)
(2) 9×9×9=729 (cm³)

56 · Run- C 6-1

6. 직육면체의 부피와 겉넓이 · 57

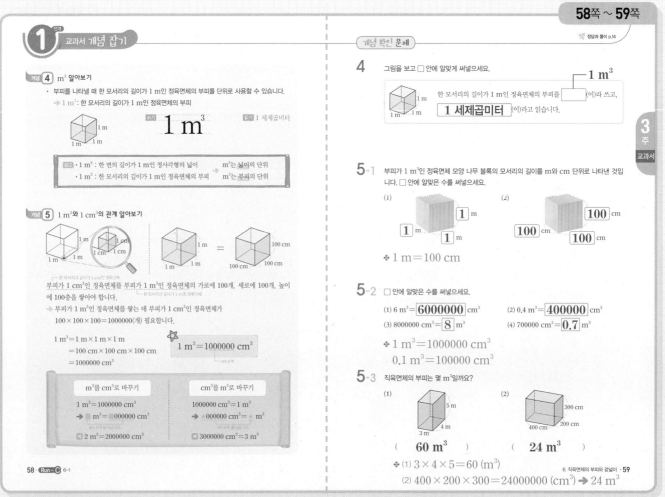

1단계 교과서 개념 잡기

개념 4 m³ 알아보기

• 부피를 나타낼 때 한 모서리의 길이가 1 m인 정육면체의 부피를 단위로 사용할 수 있습니다.

➡ 1 m³: 한 모서리의 길이가 1 m인 정육면체의 부피

쓰기 1 m³   읽기 1 세제곱미터

참고 • 1 m²: 한 변의 길이가 1 m인 정사각형의 넓이 ➡ m²는 넓이의 단위
• 1 m³: 한 모서리의 길이가 1 m인 정육면체의 부피 ➡ m³는 부피의 단위

개념 5 1 m³와 1 cm³의 관계 알아보기

부피가 1 cm³인 정육면체를 부피가 1 m³인 정육면체의 가로에 100개, 세로에 100개, 높이에 100층을 쌓아야 합니다.

➡ 부피가 1 m³인 정육면체를 쌓는 데 부피가 1 cm³인 정육면체가 100×100×100=1000000(개) 필요합니다.

1 m³=1 m×1 m×1 m
=100 cm×100 cm×100 cm
=1000000 cm³

1 m³=1000000 cm³

m³를 cm³로 바꾸기	cm³를 m³로 바꾸기
1 m³=1000000 cm³	1000000 cm³=1 m³
➡ ■ m³=■000000 cm³	➡ ■000000 cm³=■ m³
2 m³=2000000 cm³	3000000 cm³=3 m³

개념 확인 문제

정답과 풀이 p.14

4 그림을 보고 □ 안에 알맞게 써넣으세요.

1 m³

한 모서리의 길이가 1 m인 정육면체의 부피를 [1](이)라 쓰고, **1 세제곱미터** (이)라고 읽습니다.

5-1 부피가 1 m³인 정육면체 모양 나무 블록의 모서리의 길이를 m와 cm 단위로 나타낸 것입니다. □ 안에 알맞은 수를 써넣으세요.
(1) [1] m, [1] m, [1] m
(2) [100] cm, [100] cm, [100] cm

✤ 1 m=100 cm

5-2 □ 안에 알맞은 수를 써넣으세요.
(1) 6 m³= [6000000] cm³   (2) 0.4 m³= [400000] cm³
(3) 8000000 cm³= [8] m³   (4) 700000 cm³= [0.7] m³

✤ 1 m³=1000000 cm³
0.1 m³=100000 cm³

5-3 직육면체의 부피는 몇 m³일까요?
(1) (**60 m³**)   (2) (**24 m³**)

✤ (1) 3×4×5=60 (m³)
(2) 400×200×300=24000000 (cm³) ➡ 24 m³

58 · Run- C 6-1

6. 직육면체의 부피와 겉넓이 · 59

14 · Run- C 6-1

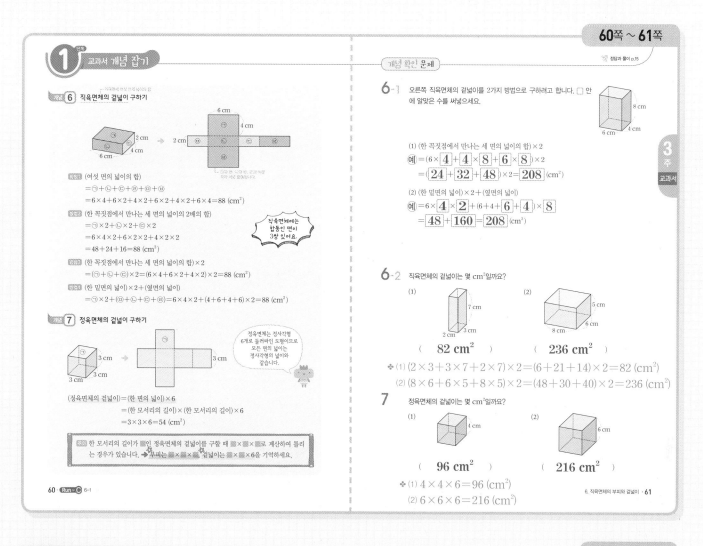

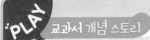

PLAY 교과서 개념 스토리 | 전개도 만들고 겉넓이 구하기

도형 붙임딱지를 이어 붙여 직육면체의 전개도를 만들고, 그 전개도를 접어서 만든 직육면체의 겉넓이를 서로 다른 2가지 방법으로 구해 보세요. (단, 붙임딱지를 돌려서 붙여도 됩니다.)

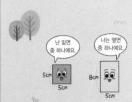

방법1 (겉넓이)=(한 꼭짓점에서 만나는 세 면의 넓이의 합)× 2

예 = 5 × 5 + 5 × 8 + 5 × 8 × 2 = 210 (cm²)

방법2 (겉넓이)=(한 밑면의 넓이)× 2 +(옆면의 넓이)

예 = 5 × 5 × 2 +(5 + 5 + 5 + 5)× 8 = 210 (cm²)

방법1 (겉넓이)= 예 (6×6+6×7+6×7)×2=240 (cm²)
방법2 (겉넓이)= 예 6×6×2+(6+6+6+6)×7=240 (cm²)

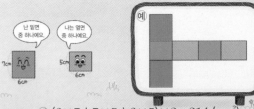

방법1 (겉넓이)= 예 (6×7+7×5+6×5)×2=214 (cm²)
방법2 (겉넓이)= 예 6×7×2+(6+7+6+7)×5=214 (cm²)

도형 붙임딱지를 이어 붙여 정육면체의 전개도를 각각 다르게 만들고, 그 전개도를 접어서 만든 정육면체의 겉넓이를 구해 보세요.

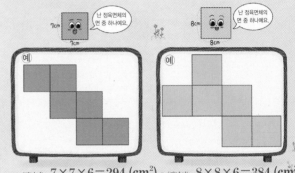

→ (겉넓이)=7×7×6=294 (cm²)   → (겉넓이)=8×8×6=384 (cm²)

64 Run- C 6-1   6. 직육면체의 부피와 겉넓이 · 65

2단계 교과서 개념 다지기

정답과 풀이 p.16

개념1 직육면체의 부피를 비교하기

01 부피가 큰 직육면체부터 차례로 기호를 써 보세요.

(나, 다, 가)

❖ 세 직육면체는 모두 가로와 높이가 같으므로 세로를 비교하면
6 cm > 5 cm > 4 cm입니다. ➡ 나>다>가

02 크기가 같은 쌓기나무를 사용하여 직육면체 모양을 만들었습니다. 두 직육면체의 부피를 비교하여 ○ 안에 >, =, <를 알맞게 써넣으세요.

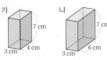

가의 부피 > 나의 부피

❖ 가: 한 층에 5 × 4 = 20(개)씩 2층이므로 20 × 2 = 40(개)입니다.
나: 한 층에 2 × 6 = 12(개)씩 3층이므로 12 × 3 = 36(개)입니다.
➡ 쌓기나무의 수를 비교하면 40개 > 36개이므로 가의 부피가 더 큽니다.

03 직육면체 모양의 세 상자에 크기가 같은 쌓기나무를 담아 부피를 비교하려고 합니다. 부피가 가장 큰 상자의 기호를 써 보세요.

(나)

❖ 가 상자: 한 층에 4 × 2 = 8(개)씩 2층이므로 8 × 2 = 16(개)입니다.
나 상자: 한 층에 3 × 3 = 9(개)씩 2층이므로 9 × 2 = 18(개)입니다.
다 상자: 한 층에 4개씩 3층이므로 4 × 3 = 12(개)입니다.
➡ 18개 > 16개 > 12개
  (나)   (가)   (다)

개념2 1 m³와 1 cm³의 관계 알아보기

04 부피가 1 cm³인 쌓기나무를 쌓아 한 모서리의 길이가 1 m인 정육면체를 만들려고 합니다. 필요한 쌓기나무의 수로 알맞은 것에 ○표 하세요.

10000개	100000개	1000000개
( )	( )	(○)

❖ 1 m³=1000000 cm³이므로 필요한 쌓기나무는 1000000개입니다.

05 부피를 비교하여 ○ 안에 >, =, <를 알맞게 써넣으세요.

(1) 5000000 cm³ = 5 m³

(2) 0.7 m³ < 6000000 cm³

❖ (1) 1000000 cm³=1 m³이므로 5000000 cm³=5 m³입니다.
(2) 0.7 m³=700000 cm³이므로 0.7 m³<6000000 cm³입니다.

06 큰 부피를 말한 사람부터 차례로 이름을 써 보세요.

3.5 m³   3000000 cm³   10 m³
예지   준우   윤하

(윤하, 예지, 준우)

❖ 예지: 3.5 m³=3500000 cm³
준우: 3000000 cm³   ➡ 윤하>예지>준우
윤하: 10 m³=10000000 cm³

6. 직육면체의 부피와 겉넓이 · 67

② 교과서 개념 다지기

정답과 풀이 p.17

개념3 직육면체의 부피 구하기

07 혜미는 가로가 7 cm, 세로가 5 cm, 높이가 3 cm인 직육면체 모양의 과자 상자를 샀습니다. 혜미가 산 과자 상자의 부피는 몇 cm³인지 식을 쓰고 답을 구해 보세요.

식 $7 \times 5 \times 3 = 105$

답 105 cm³

❖ (직육면체의 부피)=(가로)×(세로)×(높이)
$$=7 \times 5 \times 3 = 105 \text{ (cm}^3)$$

08 직육면체에 한 면의 넓이를 나타낸 것입니다. 직육면체의 부피는 몇 cm³일까요?

(1) 넓이: 30 cm²

(60 cm³)

(2) 넓이: 150 cm²

(900 cm³)

❖ (직육면체의 부피)=(밑면의 넓이)×(높이)
➡ (1) $30 \times 2 = 60$ (cm³)
(2) $150 \times 6 = 900$ (cm³)

09 직육면체의 부피는 몇 m³일까요?

(1) 700 cm, 3 m, 400 cm

(84 m³)

(2) 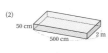 50 cm, 500 cm, 2 m

(5 m³)

❖ (1) 700 cm=7 m, 400 cm=4 m ➡ $7 \times 3 \times 4 = 84$ (m³)
(2) 500 cm=5 m, 50 cm=0.5 m ➡ $5 \times 2 \times 0.5 = 5$ (m³)

68 · Run-C 6-1

개념4 정육면체의 부피 구하기

10 어느 정육면체의 한 면을 나타낸 것입니다. 이 정육면체의 부피는 몇 cm³일까요?

 7 cm, 7 cm

(343 cm³)

❖ 한 모서리의 길이가 7 cm인 정육면체입니다.
➡ (정육면체의 부피)=(한 모서리의 길이)×(한 모서리의 길이)×(한 모서리의 길이)
$$=7 \times 7 \times 7 = 343 \text{ (cm}^3)$$

11 그림과 같은 정육면체 모양 선물 상자의 부피를 주어진 단위로 각각 나타내어 보세요.

 50 cm

(125000) cm³
(0.125) m³

❖ (상자의 부피)=50×50×50=125000 (cm³)
1000000 cm³=1 m³이므로 125000 cm³=0.125 m³입니다.

12 그림과 같은 전개도로 만든 정육면체의 부피는 몇 cm³일까요?

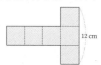 12 cm

(64 cm³)

❖ 세 모서리의 길이의 합이 12 cm이므로 한 모서리의 길이는
12÷3=4 (cm)입니다.
➡ (정육면체의 부피)=4×4×4=64 (cm³)

6. 직육면체의 부피와 겉넓이 · 69

---

② 교과서 개념 다지기

정답과 풀이 p.17

개념5 직육면체의 겉넓이 구하기

13 다음과 같은 직육면체의 겉넓이는 몇 cm²일까요?

| 가로가 10 cm, 세로가 5 cm, 높이가 9 cm인 직육면체 |

(370 cm²)

❖ (직육면체의 겉넓이)=(10×5+5×9+10×9)×2
$$=(50+45+90) \times 2 = 370 \text{ (cm}^2)$$

14 전개도로 만든 직육면체의 겉넓이는 몇 cm²일까요?

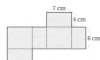 7 cm, 4 cm, 6 cm

(188 cm²)

❖ (직육면체의 겉넓이)=(7×4+4×6+7×6)×2
$$=(28+24+42) \times 2 = 188 \text{ (cm}^2)$$

15 은주와 현서가 받은 선물 상자입니다. 누가 받은 선물 상자의 겉넓이가 몇 cm² 더 큰지 구해 보세요.

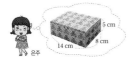 은주 5 cm, 14 cm, 8 cm

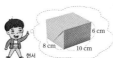 현서 6 cm, 8 cm, 10 cm

은주 가 받은 선물 상자의 겉넓이가 68 cm² 더 큽니다.

❖ 은주: (14×8+8×5+14×5)×2=(112+40+70)×2=444 (cm²)
현서: (8×10+10×6+8×6)×2=(80+60+48)×2=376 (cm²)
➡ (은주)-(현서)=444-376=68 (cm²)

70 · Run-C 6-1

개념6 정육면체의 겉넓이 구하기

16 한 모서리의 길이가 2 cm인 정육면체의 겉넓이는 몇 cm²일까요?

(24 cm²)

❖ (정육면체의 겉넓이)=(한 모서리의 길이)×(한 모서리의 길이)×6
$$=2 \times 2 \times 6 = 24 \text{ (cm}^2)$$

17 정육면체에 한 면의 넓이를 나타낸 것입니다. 이 정육면체의 겉넓이는 몇 cm²일까요?

 넓이: 16 cm²

(96 cm²)

❖ (정육면체의 겉넓이)=(한 면의 넓이)×6
$$=16 \times 6 = 96 \text{ (cm}^2)$$

18 전개도로 만든 정육면체의 겉넓이는 몇 cm²일까요?

 9 cm, 9 cm, 9 cm

(486 cm²)

❖ (정육면체의 겉넓이)=9×9×6=486 (cm²)

19 정육면체에서 색칠한 면의 둘레는 40 cm입니다. 이 정육면체의 겉넓이는 몇 cm²일까요?

(600 cm²)

❖ 색칠한 면은 정사각형이므로
(정육면체의 한 모서리의 길이)=40÷4=10 (cm)입니다.
➡ (정육면체의 겉넓이)=10×10×6=600 (cm²)

6. 직육면체의 부피와 겉넓이 · 71

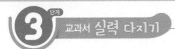
❖ 직육면체의 가장 짧은 모서리의 길이가 8 cm이므로 잘라서 만든 가장 큰 정육면체의 한 모서리의 길이는 8 cm입니다.

③ 교과서 실력 다지기

※ 정답과 풀이 p.18

★ 두 직육면체의 부피 비교하기

1 직육면체 가와 나의 부피의 차를 구해 보세요.

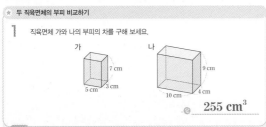

가
7 cm
5 cm 3 cm

나
9 cm
10 cm 4 cm

255 cm³

개념 리드미컬
① (직육면체의 부피)=(가로)×(세로)×(높이)
② 부피(圖, 圖)를 비교하여 圖 > 圖이면 부피의 차는 圖 - 圖입니다.

❖ (가의 부피)=5×3×7=105 (cm³)
(나의 부피)=10×4×9=360 (cm³) → 360-105=255 (cm³)

1-1 직육면체 가와 나의 부피가 같습니다. □ 안에 알맞은 수를 구해 보세요.

가
12 cm □ cm 2 cm

나
2 cm
18 cm 4 cm

(6)

❖ (가의 부피)=12×2×□=24×□ → 24×□=144, □=144÷24, □=6
(나의 부피)=18×4×2=144

1-2 정육면체 가와 직육면체 나의 부피가 같습니다. □ 안에 알맞은 수를 구해 보세요.

가
6 cm
6 cm
6 cm

나
3 cm
□ cm 8 cm

(9)

❖ (가의 부피)=6×6×6=216
(나의 부피)=□×8×3=□×24
→ □×24=216, □=216÷24, □=9

72 · Run- C 6-1

★ 잘라 만든 가장 큰 정육면체 알기

2 다음 직육면체를 잘라서 가장 큰 정육면체를 1개 만들었습니다. 만든 정육면체의 부피는 몇 cm³일까요?

8 cm
18 cm 10 cm

512 cm³

개념 리드미컬
① 직육면체의 가장 짧은 모서리의 길이를 정육면체의 한 모서리의 길이가 되게 자릅니다.
② (정육면체의 부피)=(한 모서리의 길이)×(한 모서리의 길이)×(한 모서리의 길이)

→ (부피)=8×8×8=512 (cm³)

2-1 다음 직육면체를 잘라서 가장 큰 정육면체를 1개 만들었습니다. 만든 정육면체의 겉넓이는 몇 cm²일까요?

5 cm
11 cm 20 cm

(150 cm²)

❖ 잘라서 만든 가장 큰 정육면체의 한 모서리의 길이는 5 cm입니다.
→ (겉넓이)=5×5×6=150 (cm²)

2-2 다음 직육면체를 잘라서 만든 가장 큰 정육면체 1개의 부피는 27 cm³입니다. 자르기 전 직육면체의 부피는 몇 cm³일까요?

5 cm
4 cm

(60 cm³)

❖ 정육면체의 한 모서리의 길이를 □ cm라고 하면
□×□×□=27, □=3입니다.
→ 직육면체의 가장 짧은 모서리의 길이가 3 cm이므로 자르기 전 직육면체의 부피는 4×3×5=60 (cm³)입니다.

6. 직육면체의 부피와 겉넓이 · 73

③ 교과서 실력 다지기

※ 정답과 풀이 p.18

★ 직육면체의 부피로 겉넓이 구하기

3 직육면체의 부피는 192 cm³입니다. 이 직육면체의 겉넓이는 몇 cm²일까요?

4 cm
6 cm

208 cm²

개념 리드미컬
① (직육면체의 부피)=(가로)×(세로)×(높이)를 이용하여 가로를 구합니다.
② 직육면체의 겉넓이는 여섯 면의 넓이의 합입니다.

❖ 직육면체의 가로를 □ cm라고 하면 □×6×4=192,
□×24=192, □=8입니다.
→ (직육면체의 겉넓이)=(8×6+6×4+8×4)×2=208 (cm²)

3-1 다음과 같이 드론으로 배달하는 직육면체 모양 상자의 부피는 8800 cm³입니다. 이 상자의 겉넓이는 몇 cm²일까요?

20 cm 22 cm

▲ 출처 ©mipan, shutterstock

(2560 cm²)

❖ 상자의 높이를 □ cm라고 하면 20×22×□=8800, □=20입니다.
→ (상자의 겉넓이)=(20×22+22×20+20×20)×2=2560 (cm²)

3-2 직육면체의 부피는 126 cm³입니다. 이 직육면체의 겉넓이는 몇 cm²일까요?

6 cm 3 cm

(162 cm²)

❖ 직육면체의 높이를 □ cm라고 하면 6×3×□=126, □=7입니다.
→ (직육면체의 겉넓이)=(6×3+3×7+6×7)×2=162 (cm²)

74 · Run- C 6-1

★ 정육면체의 겉넓이와 부피 구하기

4 정육면체의 겉넓이는 486 cm²입니다. 이 정육면체의 부피는 몇 cm³일까요?

729 cm³

개념 리드미컬
① (정육면체의 겉넓이)=(한 모서리의 길이)×(한 모서리의 길이)×6
② (정육면체의 부피)=(한 모서리의 길이)×(한 모서리의 길이)×(한 모서리의 길이)

❖ 정육면체의 한 모서리의 길이를 □ cm라 하면
□×□×6=486, □×□=81, □=9입니다.
→ (정육면체의 부피)=9×9×9=729 (cm³)

4-1 정육면체 모양 상자의 부피는 1000 cm³입니다. 이 상자의 겉넓이는 몇 cm²일까요?

(600 cm²)

❖ 정육면체 모양 상자의 한 모서리의 길이를 □ cm라 하면
□×□×□=1000이므로 □=10입니다.
→ (정육면체 모양 상자의 겉넓이)=10×10×6=600 (cm²)

4-2 정육면체에 한 면의 넓이를 나타낸 것입니다. 이 정육면체의 부피와 겉넓이를 각각 구해 보세요.

121 cm²

부피 (1331 cm³)
겉넓이 (726 cm²)

❖ 정육면체의 한 모서리의 길이를 □ cm라 하면
□×□=121, □=11입니다.
→ (부피)=11×11×11=1331 (cm³)
(겉넓이)=11×11×6=726 (cm²)

6. 직육면체의 부피와 겉넓이 · 75

③단계 교과서 실력 다지기

정답과 풀이 p.19

★ 쌓기나무로 쌓은 입체도형의 부피 구하기

5 한 모서리의 길이가 3 cm인 쌓기나무를 사용하여 입체도형을 만들었습니다. 이 입체도형의 부피는 몇 cm³일까요?

답 ___270 cm³___

개념 체크백
① (정육면체의 부피)=(한 모서리의 길이)×(한 모서리의 길이)×(한 모서리의 길이)
② 부피가 ■ cm³인 쌓기나무를 ▲개 쌓아 만든 입체도형의 부피는 (■×▲) cm³입니다.

❖ (쌓기나무 1개의 부피)=3×3×3=27 (cm³)
쌓기나무는 1층에 9개, 2층에 1개이므로 모두 10개입니다.

➜ (쌓은 입체도형의 부피)=27×10=270 (cm³)

5-1 한 면의 넓이가 4 cm²인 쌓기나무를 사용하여 다음과 같이 쌓았습니다. 쌓은 입체도형의 부피는 몇 cm³일까요?

❖ 쌓기나무의 한 모서리의 길이를 □ cm라 하면
□×□=4, □=2입니다.

(___32 cm³___)

(쌓기나무의 부피)=2×2×2=8 (cm³)
➜ 쌓은 쌓기나무의 수는 4개이므로 입체도형의 부피는 8×4=32 (cm³)입니다.

5-2 쌓기나무를 사용하여 다음과 같이 정육면체 모양의 입체도형을 만들었습니다. 입체도형의 부피가 64 cm³일 때, 쌓은 쌓기나무 한 개의 한 모서리의 길이는 몇 cm일까요?

(___2 cm___)

❖ 쌓은 쌓기나무의 수는 8개이므로 쌓기나무 한 개의 부피는 64÷8=8 (cm³)입니다.

➜ 8=2×2×2이므로 쌓기나무 한 개의 한 모서리의 길이는 2 cm입니다.

76 · Run - C 6-1

★ 쌓기나무로 쌓은 입체도형의 겉넓이 구하기

6 한 모서리의 길이가 2 cm인 쌓기나무 5개로 다음과 같이 쌓았습니다. 쌓은 입체도형의 겉넓이는 몇 cm²일까요?

답 ___80 cm²___

개념 체크백
① 쌓기나무 한 개의 한 면의 넓이를 구합니다.
② 입체도형에서 ①과 같은 면의 수를 세어 입체도형의 겉넓이를 구합니다.

❖ (쌓기나무 한 개의 한 면의 넓이)=2×2=4 (cm²)
쌓은 입체도형에는 4 cm²인 면이 20개 있습니다.

➜ (쌓은 입체도형의 겉넓이)=4×20=80 (cm²)

6-1 한 모서리의 길이가 3 cm인 쌓기나무로 다음과 같이 쌓았습니다. 쌓은 입체도형의 겉넓이는 몇 cm²일까요?

(___198 cm²___)

❖ (쌓기나무 한 개의 한 면의 넓이)=3×3=9 (cm²)
쌓은 입체도형에는 9 cm²인 면이 22개 있습니다.

➜ (쌓은 입체도형의 겉넓이)=9×22=198 (cm²)

6-2 한 개의 겉넓이가 150 cm³인 정육면체 모양 상자로 다음과 같이 직육면체 모양으로 쌓았습니다. 쌓은 입체도형의 겉넓이는 몇 cm²일까요?

(___550 cm²___)

❖ (상자의 한 면의 넓이)=150÷6=25 (cm²)
쌓은 입체도형에는 25 cm²인 면이 22개 있습니다.

➜ (쌓은 입체도형의 겉넓이)=25×22=550 (cm²)

6. 직육면체의 부피와 겉넓이 · 77

Test 교과서 서술형 연습

정답과 풀이 p.19

1 직육면체의 겉넓이는 600 cm²입니다. 이 직육면체의 높이는 몇 cm인지 구해 보세요.

10 cm   6 cm

서술형 해결하기 높이를 ★ cm라고 하여 직육면체의 겉넓이 구하는 식을 쓰면

$(10×6+6×★+10×★)×2=600$입니다.

따라서 $(60+16×★)×2=600$, $60+16×★=300$

$16×★=240$, ★=15입니다.

답 구하기 ___15 cm___

2 직육면체의 겉넓이는 184 cm²입니다. 이 직육면체의 세로는 몇 cm인지 구해 보세요.

5 cm   8 cm

서술형 해결하기 **예** 세로를 ■ cm라고 하여 직육면체의 겉넓이 구하는 식을 쓰면

$(8×■+■×5+8×5)×2=184$입니다.

따라서 $(13×■+40)×2=184$,

$13×■+40=92$,

$13×■=52$, ■=4입니다.

답 구하기 ___4 cm___

78 · Run - C 6-1

3 직육면체와 정육면체의 부피는 같습니다. 정육면체의 한 모서리의 길이를 구해 보세요.

2 cm   8 cm   4 cm   ?

서술형 해결하기 (직육면체의 부피)=$8×4×2=64$ (cm³)입니다.

정육면체의 한 모서리의 길이를 ● cm라고 하면

●×●×●=64이므로 ●=4입니다.

답 구하기 ___4 cm___

4 직육면체와 정육면체의 부피는 같습니다. 정육면체의 한 모서리의 길이를 구해 보세요.

4 cm   9 cm   6 cm   ?

서술형 해결하기 **예** (직육면체의 부피)=$9×6×4=216$ (cm³)입니다.

정육면체의 한 모서리의 길이를 ■ cm라고 하면 ■×■×■=216이므로 ■=6입니다.

답 구하기 ___6 cm___

6. 직육면체의 부피와 겉넓이 · 79

PLAY 사고력 개념 스토리 · 수조에 담긴 물고기 찾기

물이 담겨 있는 수조에 물고기를 넣었더니 물고기에 잠겨 있는 부피만큼 물의 높이가 높아졌습니다.
알맞은 물고기 붙임딱지를 붙여 보세요. (단, 물고기는 여러 마리일 수 있습니다.)

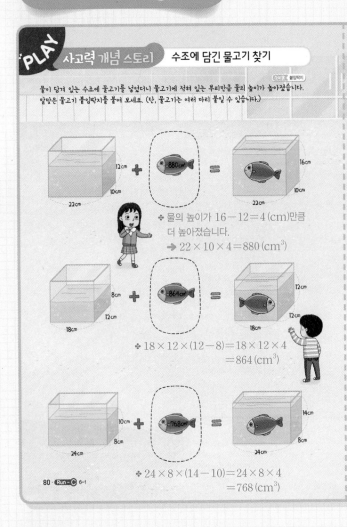

✦ 물의 높이가 $16-12=4$ (cm)만큼
더 높아졌습니다.
→ $22 \times 10 \times 4 = 880$ (cm³)

✦ $18 \times 12 \times (12-8) = 18 \times 12 \times 4$
$= 864$ (cm³)

✦ $24 \times 8 \times (14-10) = 24 \times 8 \times 4$
$= 768$ (cm³)

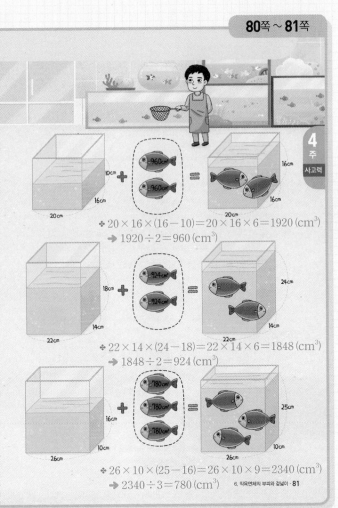

✦ $20 \times 16 \times (16-10) = 20 \times 16 \times 6 = 1920$ (cm³)
→ $1920 \div 2 = 960$ (cm³)

✦ $22 \times 14 \times (24-18) = 22 \times 14 \times 6 = 1848$ (cm³)
→ $1848 \div 2 = 924$ (cm³)

✦ $26 \times 10 \times (25-16) = 26 \times 10 \times 9 = 2340$ (cm³)
→ $2340 \div 3 = 780$ (cm³)

4
주
사고력

80 · Run-C 6-1

6. 직육면체의 부피와 겉넓이 · 81

PLAY 사고력 개념 스토리 · 여러 입체 모양의 부피 구하기

3D 프린터로 만든 입체 모양의 부피를 구하려고 합니다. 입체 모양 붙임딱지를 붙이고
☐ 안에 알맞은 수를 써넣어 입체 모양의 부피를 구해 보세요.

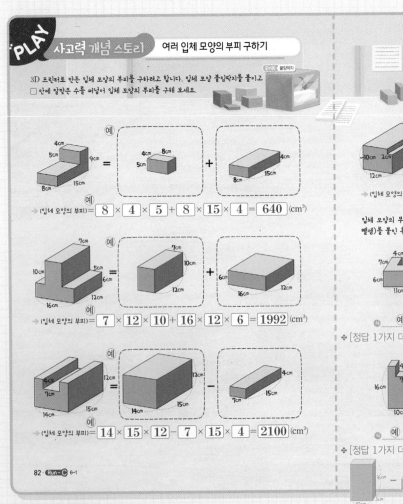

→ (입체 모양의 부피) = $8 \times 4 \times 5 + 8 \times 15 \times 4 = 640$ (cm³)

→ (입체 모양의 부피) = $7 \times 12 \times 10 + 16 \times 12 \times 6 = 1992$ (cm³)

→ (입체 모양의 부피) = $14 \times 15 \times 12 - 7 \times 15 \times 4 = 2100$ (cm³)

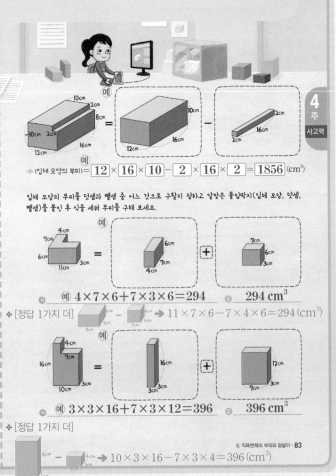

→ (입체 모양의 부피) = $12 \times 16 \times 10 - 2 \times 16 \times 2 = 1856$ (cm³)

입체 모양의 부피를 덧셈과 뺄셈 중 어느 것으로 구할지 정하고 알맞은 붙임딱지(입체 모양, 덧셈,
뺄셈)를 붙인 후 식을 세워 부피를 구해 보세요.

예 $4 \times 7 \times 6 + 7 \times 3 \times 6 = 294$ 294 cm³

✦ [정답 1가지 더] $11 \times 7 \times 6 - 7 \times 4 \times 6 = 294$ (cm³)

예 $3 \times 3 \times 16 + 7 \times 3 \times 12 = 396$ 396 cm³

✦ [정답 1가지 더] $10 \times 3 \times 16 - 7 \times 3 \times 4 = 396$ (cm³)

4
주
사고력

82 · Run-C 6-1

6. 직육면체의 부피와 겉넓이 · 83

1 단계 교과 사고력 잡기

1 직육면체 모양 나무토막의 겉면에 물감을 묻혀 종이에 찍은 것입니다. 직육면체 모양 나무토막의 부피와 겉넓이를 각각 구해 보세요.

① 나무토막의 □ 안에 알맞은 수를 써넣으세요.

❖ 나무토막은 밑면의 가로가 5 cm, 세로가 12 cm, 높이가 20 cm인 직육면체 모양입니다.

② 나무토막의 부피는 몇 cm³일까요?

(**1200 cm³**)

❖ (나무토막의 부피)$=5 \times 12 \times 20 = 1200\,(\text{cm}^3)$

③ 나무토막의 겉넓이는 몇 cm²일까요?

(**800 cm²**)

❖ (나무토막의 겉넓이)$=(5 \times 12 + 12 \times 20 + 5 \times 20) \times 2$
$=(60 + 240 + 100) \times 2$
$=400 \times 2 = 800\,(\text{cm}^2)$

---

2 그릇 가와 나는 직육면체 모양입니다. 그릇 가에 들어 있는 물을 그릇 나에 넘치지 않도록 가득 부어 모두 나누어 담으려고 합니다. 그릇 나는 적어도 몇 개 필요한지 구해 보세요. (단, 그릇의 두께는 생각하지 않습니다.)

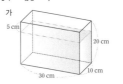

① 그릇 가에 들어 있는 물의 높이는 몇 cm일까요?

(**15 cm**)

❖ $20 - 5 = 15\,(\text{cm})$

② 그릇 가에 들어 있는 물의 부피는 몇 cm³일까요?

(**4500 cm³**)

❖ $30 \times 10 \times 15 = 4500\,(\text{cm}^3)$

③ 그릇 나의 부피는 몇 cm³일까요?

(**180 cm³**)

❖ $5 \times 4 \times 9 = 180\,(\text{cm}^3)$

④ 그릇 가에 들어 있는 물을 그릇 나에 넘치지 않도록 가득 부어 모두 나누어 담으려면 그릇 나는 적어도 몇 개 필요할까요?

(**25개**)

❖ (그릇 가에 들어 있는 물의 부피)÷(그릇 나의 부피)
$=4500 \div 180 = 25\,(\text{개})$

---

1 단계 교과 사고력 잡기

3 그림과 같이 직육면체 모양의 선물 상자에 길이가 1 m 50 cm인 리본으로 포장을 하였더니 9 cm가 남았습니다. 매듭을 묶는 데 사용한 리본이 25 cm일 때 이 선물 상자의 겉넓이를 구해 보세요. (단, 선물 상자의 포장지의 두께는 생각하지 않습니다.)

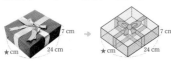

① □ 안에 알맞은 수를 써넣으세요.

❖ 1 m=100 cm이므로   1 m 50 cm=**150** cm
1 m 50 cm=1 m+50 cm=100 cm+50 cm=150 cm입니다.

② 상자를 포장하는 데 사용한 리본의 길이는 몇 cm일까요?

(**141 cm**)

❖ $150 - 9 = 141\,(\text{cm})$

③ 선물 상자의 겨냥도를 보고 □안에 알맞은 수를 써넣으세요.
리본이 지나간 자리를 보면 ★ cm인 곳은 2군데, 24 cm인 곳은 **2** 군데, 7 cm인 곳은 **4** 군데입니다.

④ ②와 ③을 이용하여 ★를 구하려고 합니다. 식을 완성하고 ★를 구해 보세요.

$★ \times 2 + 24 \times \boxed{2} + 7 \times \boxed{4} + \boxed{25} = \boxed{141}$
_____ **20**

❖ $★ \times 2 + 24 \times 2 + 7 \times 4 + 25 = 141,$
$★ \times 2 + 48 + 28 + 25 = 141,$
$★ \times 2 + 101 = 141,\ ★ \times 2 = 40,\ ★ = 20$

⑤ 선물 상자의 겉넓이는 몇 cm²일까요?

(**1576 cm²**)

❖ $(20 \times 24 + 24 \times 7 + 20 \times 7) \times 2 = (480 + 168 + 140) \times 2$
$= 788 \times 2 = 1576\,(\text{cm}^2)$

---

4 예지가 말한 세 조건을 만족하는 직육면체의 부피를 구해 보세요.

> 첫째, 직육면체의 가로는 세로보다 6 cm 더 깁니다.
> 둘째, 직육면체의 높이는 세로보다 2 cm 더 깁니다.
> 셋째, 직육면체의 모든 모서리의 길이의 합은 80 cm입니다.

① 직육면체의 세로를 ● cm라고 하면 가로와 높이는 각각 몇 cm인지 ●를 이용하여 식으로 나타내어 보세요.

가로 (**●+6**) cm
높이 (**●+2**) cm

❖ (가로)=(세로)+6=●+6
(높이)=(세로)+2=●+2

② □ 안에 알맞은 수를 써넣으세요.
(직육면체의 모든 모서리의 길이의 합)=(가로+세로+높이)×**4**

③ ①과 ②를 이용하여 셋째 조건을 만족하는 직육면체의 세로(● cm)를 구하려고 합니다. 식을 쓰고 ●를 구해 보세요.
예 $(●+6+●+●+2) \times 4 = 80$
_____ **4**

❖ $(●+6+●+●+2) \times 4 = 80,$
$● \times 3 + 8 = 20,\ ● \times 3 = 12,\ ● = 4$

④ 직육면체의 가로, 세로, 높이는 각각 몇 cm인지 수로 써 보세요.
가로 **10** cm, 세로 **4** cm, 높이 **6** cm

❖ (가로)=●+6=4+6=10 (cm), (세로)=4 cm,
(높이)=●+2=4+2=6 (cm)

⑤ 직육면체의 부피는 몇 cm³일까요?

(**240 cm³**)

❖ (직육면체의 부피)=$10 \times 4 \times 6 = 240\,(\text{cm}^3)$

2단계 교과 사고력 확장

정답과 풀이 p.22

1 직육면체를 다음과 같이 늘이려고 합니다. ☐ 안에 알맞은 수를 써넣고 규칙을 찾아 완성해 보세요.

 ❶
각 모서리의 길이를 2배로 늘이기 → 처음 직육면체의 부피 **120** cm³ 늘인 직육면체의 부피 **960** cm³

→ 늘인 직육면체의 부피는 처음 직육면체의 부피의 **8** 배입니다.

❖ (처음 직육면체의 부피)=5×4×6=120 (cm³) → 960÷120=8(배)
(늘인 직육면체의 부피)=10×8×12=960 (cm³)   2×2×2┘

 ❷
각 모서리의 길이를 3배로 늘이기 → 처음 직육면체의 부피 **30** cm³ 늘인 직육면체의 부피 **810** cm³

→ 늘인 직육면체의 부피는 처음 직육면체의 부피의 **27** 배입니다.

❖ (처음 직육면체의 부피)=3×5×2=30 (cm³) → 810÷30=27(배)
(늘인 직육면체의 부피)=9×15×6=810 (cm³)   3×3×3┘

 ❸
각 모서리의 길이를 4배로 늘이기 → 처음 직육면체의 부피 **48** cm³ 늘인 직육면체의 부피 **3072** cm³

→ 늘인 직육면체의 부피는 처음 직육면체의 부피의 **64** 배입니다.

❖ (처음 직육면체의 부피)=2×6×4=48 (cm³) → 3072÷48=64(배)
(늘인 직육면체의 부피)=8×24×16=3072 (cm³)   4×4×4┘

> **규칙** 직육면체의 각 모서리의 길이를 ★배로 늘이면 늘인 직육면체의 부피는 처음 직육면체의 부피의 (★×★×★)배입니다.

88 · Run - C 6-1

2 다음과 같이 정사각형 모양의 종이에 정육면체의 전개도를 그렸습니다. 이 전개도로 만든 정육면체의 부피와 겉넓이를 각각 구해 보세요.

❶
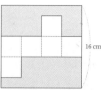
16 cm

부피 (**64 cm³**)
겉넓이 (**96 cm²**)

❖ (정육면체의 한 모서리의 길이)=16÷4=4 (cm)
→ (정육면체의 부피)=4×4×4=64 (cm³)
(정육면체의 겉넓이)=4×4×6=96 (cm²)

❷
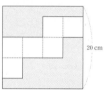
20 cm

부피 (**125 cm³**)
겉넓이 (**150 cm²**)

❖ (정육면체의 한 모서리의 길이)=20÷4=5 (cm)
→ (정육면체의 부피)=5×5×5=125 (cm³)
(정육면체의 겉넓이)=5×5×6=150 (cm²)

6. 직육면체의 부피와 겉넓이 · 89

2단계 교과 사고력 확장

정답과 풀이 p.22

3 선생님의 도움말을 보고 다음 각기둥의 부피를 구해 보세요.

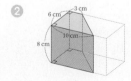
선생님
그림은 크기와 모양이 같은 각기둥 모양의 빵을 2개 합쳐서 직육면체 모양을 만든 것입니다. 이때 각기둥 하나의 부피는 직육면체 부피의 반과 같습니다.

❶

4 cm 16 cm 11 cm

(**352 cm³**)

❖ (각기둥의 부피)
=(가로가 11 cm, 세로가 4 cm, 높이가 16 cm인 직육면체의 부피)÷2
=11×4×16÷2=704÷2=352 (cm³)

❷

6 cm 3 cm 10 cm 8 cm

(**312 cm³**)

❖ (각기둥의 부피)
=(가로가 13 cm, 세로가 6 cm, 높이가 8 cm인 직육면체의 부피)÷2
=13×6×8÷2=624÷2=312 (cm³)

90 · Run - C 6-1

4 그림은 직육면체 모양 나무토막의 밑면의 가운데에 직사각형 모양의 구멍을 뚫어 만든 입체도형입니다. 이 입체도형의 부피와 겉넓이를 각각 구해 보세요. (단, 구멍은 반대쪽 면을 통과하도록 뚫었습니다.)

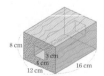
8 cm 3 cm 4 cm 12 cm 16 cm

빗금 친 면을 밑면이라고 생각하여 문제를 해결해 봐요.

❶ 입체도형의 부피를 구하려고 합니다. 풀이 과정을 완성하고 답을 구해 보세요.

풀이 (입체도형의 부피)
=(큰 나무토막의 부피)−(뚫린 직육면체 모양의 부피)

예 =12×8×16−4×3×16=1536−192
=1344 (cm³)

답 **1344 cm³**

❷ 입체도형의 겉넓이를 구하려고 합니다. 풀이 과정을 완성하고 답을 구해 보세요.

풀이 (입체도형의 겉넓이)
=(한 밑면의 넓이)×2+(바깥쪽 옆면의 넓이)+ **(안쪽 옆면의 넓이)**

예 =(12×8−4×3)×2+(12+8+12+8)
×16+(4+3+4+3)×16
=168+640+224=1032 (cm²)

답 **1032 cm²**

6. 직육면체의 부피와 겉넓이 · 91

22 · Run - C 6-1

 **3** 단계 **교과 사고력 완성**

정답과 풀이 p.23

1 다음과 같이 물이 들어 있는 직육면체 모양의 수조에 돌을 완전히 잠기도록 넣었더니 물의 높이가 3 cm 높아졌습니다. 이 돌의 부피는 몇 cm^3인지 구해 보세요.

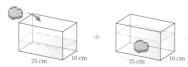

(**750 cm³**)

✢ 돌의 부피는 늘어난 물의 부피와 같습니다.
늘어난 물의 부피는 밑면의 가로가 25 cm, 세로가 10 cm, 높이가 3 cm인 직육면체의 부피와 같습니다.
➡ (돌의 부피)＝25×10×3＝750 (cm³)

2 다음과 같이 쇠 구슬이 들어 있는 직육면체 모양의 수조에서 쇠 구슬을 꺼냈더니 물의 높이가 4 cm 낮아졌습니다. 이 쇠 구슬의 부피는 몇 cm^3인지 구해 보세요.

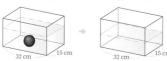

(**1920 cm³**)

✢ 쇠 구슬의 부피는 줄어든 물의 부피와 같습니다.
줄어든 물의 부피는 밑면의 가로가 32 cm, 세로가 15 cm, 높이가 4 cm인 직육면체의 부피와 같습니다.
➡ (쇠 구슬의 부피)＝32×15×4＝1920 (cm³)

3 부피가 8 cm^3인 나무블록을 규칙에 따라 정육면체 모양으로 쌓은 것입니다. 5번째 모양의 겉넓이는 몇 cm^2인지 구해 보세요.

1번째 2번째 3번째 ……

(**600 cm²**)

✢ 8＝2×2×2이므로 나무블록의 한 모서리의 길이는 2 cm입니다.
→ 5번째 모양은 한 모서리의 길이가 2×5＝10 (cm)인 정육면체입니다.
➡ (5번째 모양의 겉넓이)＝10×10×6＝600 (cm²)

4 부피가 27 cm^3인 쌓기나무를 규칙에 따라 쌓은 것입니다. 5번째 모양의 겉넓이는 몇 cm^2인지 구해 보세요.

1번째 2번째 3번째 ……

(**342 cm²**)

✢ 27＝3×3×3이므로 쌓기나무의 한 모서리의 길이는 3 cm입니다.
→ 5번째 모양의 겉면에서 한 변의 길이가 3 cm인 정사각형 모양의 면은 모두 (5＋9＋5)×2＝38(개)입니다.
➡ (5번째 모양의 겉넓이)＝3×3×38＝342 (cm²)

4 주 사고력

T̈est **종합평가** 6. 직육면체의 부피와 겉넓이   맞은 개수

정답과 풀이 p.23

1 부피가 더 큰 직육면체의 기호를 써 보세요.

(**나**)

✢ 가로와 높이가 같으므로 세로를 비교하면 3 cm < 5 cm입니다.
➡ 부피가 더 큰 직육면체는 나입니다.

2 직육면체 모양의 세 상자에 크기가 같은 과자 상자를 담아 부피를 비교하려고 합니다. 부피가 큰 상자부터 차례로 기호를 써 보세요.

(**다, 가, 나**)

✢ 가 상자: 한 층에 3×2＝6(개)씩 3층이므로 6×3＝18(개)입니다.
나 상자: 한 층에 2×2＝4(개)씩 4층이므로 4×4＝16(개)입니다.
다 상자: 한 층에 4개씩 5층이므로 4×5＝20(개)입니다.
➡ 20개(다) > 18개(가) > 16개(나)

3 □안에 알맞은 수를 써넣으세요.

(1) 9 m³＝ **9000000** cm³ (2) 0.7 m³＝ **700000** cm³

(3) 4000000 cm³＝ **4** m³ (4) 3260000 cm³＝ **3.26** m³

✢ 1 m³＝1000000 cm³

4 직육면체 가와 정육면체 나의 부피의 차는 몇 cm^3일까요?

(**48 cm³**)

✢ (직육면체 가의 부피)＝11×3×8＝264 (cm³)
(정육면체 나의 부피)＝6×6×6＝216 (cm³)
➡ 264－216＝48 (cm³)

5 직육면체의 부피는 몇 m^3인지 구해 보세요.

(1)   (2)

(**30 m³**) (**0.72 m³**)

✢ (1) 200 cm＝2 m, 300 cm＝3 m, 500 cm＝5 m
➡ (직육면체의 부피)＝2×3×5＝30 (m³)

(2) 60 cm＝0.6 m ➡ (직육면체의 부피)＝1.2×1×0.6＝0.72 (m³)

6 다음 전개도로 만든 직육면체의 부피와 겉넓이를 각각 구해 보세요.

부피 (**90 cm³**)
겉넓이 (**146 cm²**)

✢ (부피)＝5×2×9＝90 (cm³)
(겉넓이)＝(5×2＋2×9＋5×9)×2＝146 (cm²)

4 주 평가

Test 종합평가 6. 직육면체의 부피와 겉넓이

정답과 풀이 p.24

7 정육면체의 전개도에서 색칠한 부분의 넓이는 49 cm²입니다. 이 전개도로 만든 정육면체의 부피는 몇 cm³일까요?

(**343 cm³**)

❖ 정육면체의 한 모서리의 길이를 □ cm라고 하면
□×□=49, □=7입니다.
➡ (정육면체의 부피)=7×7×7=343 (cm³)

8 그림과 같은 직육면체 모양의 카스텔라를 잘라서 정육면체 모양으로 만들려고 합니다. 만들 수 있는 가장 큰 정육면체 모양의 부피는 몇 cm³인지 구해 보세요.

(**729 cm³**)

❖ 만들 수 있는 가장 큰 정육면체의 한 모서리의 길이는 직육면체의 가장 짧은 모서리의 길이인 9 cm입니다.
➡ (정육면체의 부피)=9×9×9=729 (cm³)

9 어느 직육면체의 밑면은 넓이가 25 cm²인 정사각형이고, 높이는 7 cm입니다. 이 직육면체의 겉넓이는 몇 cm²인지 구해 보세요.

(**190 cm²**)

❖ 25=5×5이므로 넓이가 25 cm²인 정사각형의 한 변의 길이는 5 cm입니다.
➡ (겉넓이)=(5×5+5×7+5×7)×2=190 (cm²)

96 · Run- C 6-1

10 다음과 같이 물이 들어 있는 직육면체 모양의 수조에 벽돌을 완전히 잠기도록 넣었더니 물의 높이가 4 cm 높아졌습니다. 이 벽돌의 부피는 몇 cm³일까요?

(**540 cm³**)

❖ (벽돌의 부피)=(늘어난 물의 부피)
=15×9×4=540 (cm³)

11 그림과 같은 직육면체 모양 무지개떡의 부피는 351 cm³입니다. 이 무지개떡의 겉넓이는 몇 cm²일까요?

(**366 cm²**)

❖ 무지개떡의 높이를 □ cm라 하면
9×13×□=351, 117×□=351, □=3입니다.
➡ (무지개떡의 겉넓이)=(9×13+13×3+9×3)×2
=183×2=366 (cm²)

12 입체도형의 부피는 몇 cm³일까요?

(**1600 cm³**)

❖ 가로가 5+5=10 (cm), 세로가 10 cm, 높이가 20 cm인 직육면체의 부피에서 가로가 5 cm, 세로가 4 cm, 높이가 20 cm인 직육면체의 부피를 뺍니다.
➡ (입체도형의 부피)=10×10×20-5×4×20
=2000-400=1600 (cm³)

6. 직육면체의 부피와 겉넓이 · 97

Test 종합평가 6. 직육면체의 부피와 겉넓이

정답과 풀이 p.24

13 정육면체의 부피를 보고 정육면체의 겉넓이는 몇 cm²인지 구해 보세요.

(**54 cm²**)

❖ 정육면체의 한 모서리의 길이를 □ cm라 하면
(정육면체의 부피)=□×□×□=27, □=3입니다.
➡ (정육면체의 겉넓이)=3×3×6=54 (cm²)

14 직육면체 가의 겉넓이는 정육면체 나의 겉넓이와 같습니다. 정육면체 나의 □ 안에 알맞은 수를 구해 보세요.

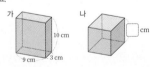

(**7**)

❖ (직육면체 가의 겉넓이)=(9×3+3×10+9×10)×2
=147×2=294 (cm²)
➡ □×□×6=294, □×□=49, □=7

15 한 모서리의 길이가 2 cm인 쌓기나무를 사용하여 다음과 같은 입체도형을 만들었습니다. 이 입체도형의 부피와 겉넓이를 각각 구해 보세요.

부피 (**32 cm³**)
겉넓이 (**72 cm²**)

❖ • 한 모서리의 길이가 2 cm인 쌓기나무의 부피는 2×2×2=8 (cm³)
이므로 입체도형의 부피는 8×4=32 (cm³)입니다.
• 한 면의 넓이는 2×2=4 (cm²)이고, 쌓은 입체도형에는
4 cm²인 면이 18개이므로 4×18=72 (cm²)입니다.

98 · Run- C 6-1

특강 창의·융합 사고력

정답과 풀이 p.24

① 재영이는 치즈를 쌓아 포장하는 방법에 대해 고민하고 있습니다. 물음에 답하세요.

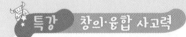

(1) 정육면체 모양의 치즈 6개를 직육면체 모양으로 쌓는 방법은 2가지입니다. 직육면체 모양 2가지를 그리고 각 모양의 겉넓이를 구해 보세요. (단, 돌리거나 뒤집었을 때 같은 모양은 하나로 생각합니다.)

겉넓이 **26** cm²   겉넓이 **22** cm²

❖ (왼쪽 모양의 겉넓이)=(6×1+1×1+6×1)×2=13×2=26 (cm²)
(오른쪽 모양의 겉넓이)=(3×2+2×1+3×1)×2=11×2=22 (cm²)

(2) 재영이의 고민을 듣고 윤하가 대답한 것입니다. 알맞은 말에 ○표 하고 □ 안에 알맞은 수를 써넣으세요.

직육면체 모양의 겉넓이가 (**좁을수록**, 넓을수록) 포장지를 적게 사용하여 포장할 수 있습니다. 따라서 겉넓이가 가장 좁은 **22** cm²인 직육면체 모양으로 쌓아 포장하면 됩니다.

윤하

6. 직육면체의 부피와 겉넓이 · 99

단원별 기초 연산 드릴 학습서

최강 단원별 연산은 내게 맡겨라!

천재
계산박사

교과과정 바탕

교과서 주요 내용을
단원별로 세분화한 12단계 구성으로
실력에 맞는 단계부터 시작 가능!

연산 유형 마스터

원리 학습에서 계산 방법 익히고,
문제를 반복 연습하여
초등 수학 단원별 연산 완성!

재미 UP! QR 학습

딱딱하고 수동적인 연산학습은 NO!
QR 코드를 통한 〈문제 생성기〉와
〈학습 게임〉으로 재미있는 수학 공부!

탄탄한 기초는 물론
계산력까지 확실하게!
초등1~6학년(총 12단계)

정답은
이안에
있어 !

난이도 별점
쉬움 ★
보통 ★★★
어려움 ★★★★★
최상위 ★★★★★★★

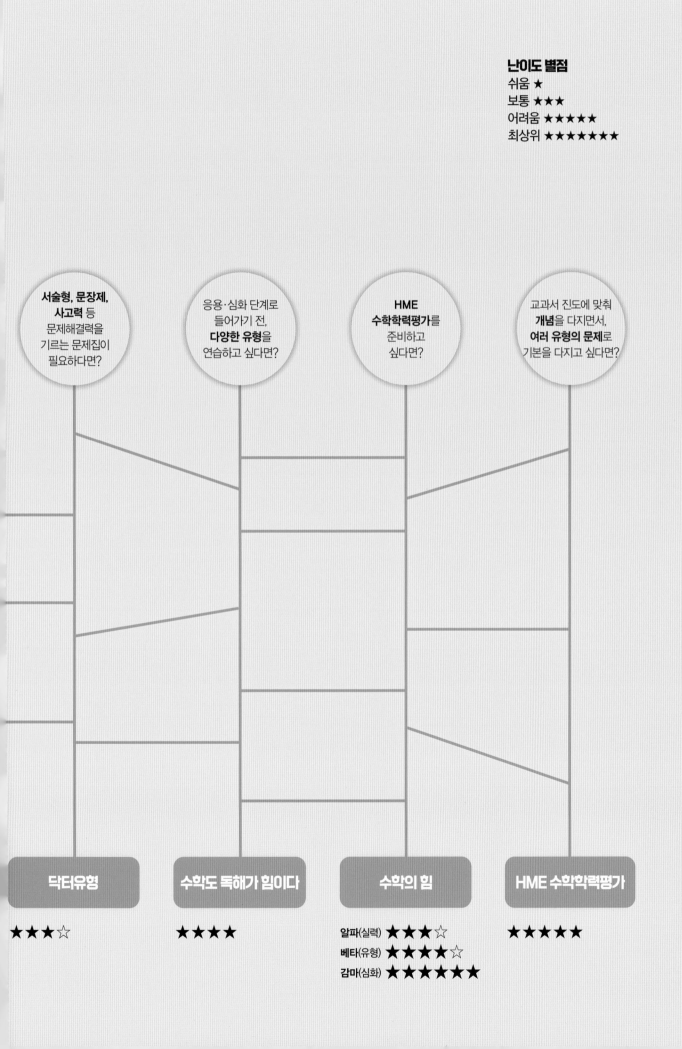

서술형, 문장제, **사고력** 등 문제해결력을 기르는 문제집이 필요하다면?

응용·심화 단계로 들어가기 전, **다양한 유형을** 연습하고 싶다면?

HME **수학학력평가를** 준비하고 싶다면?

교과서 진도에 맞춰 **개념을** 다지면서, **여러 유형의 문제로** 기본을 다지고 싶다면?

닥터유형

★★★☆

수학도 독해가 힘이다

★★★★

수학의 힘

알파(실력) ★★★☆
베타(유형) ★★★★☆
감마(심화) ★★★★★★

HME 수학학력평가

★★★★★

배움으로 행복한 내일을 꿈꾸는
천재교육 커뮤니티 안내

 교재 안내부터 구매까지 한 번에!
천재교육 홈페이지

자사가 발행하는 참고서, 교과서에 대한 소개는 물론
도서 구매도 할 수 있습니다. 회원에게 지급되는 별을 모아
다양한 상품 응모에도 도전해 보세요!

 다양한 교육 꿀팁에 깜짝 이벤트는 덤!
천재교육 인스타그램

천재교육의 새롭고 중요한 소식을 가장 먼저 접하고 싶다면?
천재교육 인스타그램 팔로우가 필수!
깜짝 이벤트도 수시로 진행되니 놓치지 마세요!

 수업이 편리해지는
천재교육 ACA 사이트

오직 선생님만을 위한, 천재교육 모든 교재에 대한 정보가 담긴
아카 사이트에서는 다양한 수업자료 및 부가 자료는 물론
시험 출제에 필요한 문제도 다운로드하실 수 있습니다.

https://aca.chunjae.co.kr

 천재교육을 사랑하는 샘들의 모임
천사샘

학원 강사, 공부방 선생님이시라면 누구나 가입할 수 있는 천사샘!
교재 개발 및 평가를 통해 교재 검토진으로 참여할 수 있는 기회는 물론
다양한 교사용 교재 증정 이벤트가 선생님을 기다립니다.

 아이와 함께 성장하는 학부모들의 모임공간
튠맘 학습연구소

튠맘 학습연구소는 초·중등 학부모를 대상으로 다양한 이벤트와 함께
교재 리뷰 및 학습 정보를 제공하는 네이버 카페입니다.
초등학생, 중학생 자녀를 둔 학부모님이라면 튠맘 학습연구소로 오세요!